# Bem Mais Perto

SUSANE COLASANTI

# Bem Mais Perto

## Acordando para uma vida nova

Tradução

Cibele da Silva Costa

Editora Novo Conceito

Publicado sob acordo com Viking Children's Books, divisão de Penguin Young Readers Group, membro de Penguin Group (USA) Inc.




2ª Impressão — 2012

Edição: Edgar Costa Silva
Produção Editorial: Alline Salles, Lívia Fernandes, Tamires Cianci
Preparação de Texto: Sylmara Beletti
Revisão de Texto: Ricardo Maciel, Erika Sá
Diagramação: Crayon Editorial, Vanúcia Santos
Capa: Jim Hoover e Equipe Novo Conceito
Foto capa: Marc Tauss
Impressão: Intergraf Ind. Gráfica Ltda.

Este livro segue as regras da Nova Ortografia da Língua Portuguesa.

Dados Internacionais de Catalogação na Publicação (CIP)
(Câmara Brasileira do Livro, SP, Brasil)

Colasanti, Susane
Bem mais perto / Susane Colasanti ; [tradução Cibele da Silva Costa]. -- Ribeirão Preto, SP : Novo Conceito Editora, 2012.

Título original: So much closer
ISBN 978-85-8163-015-1

1. Ficção - Literatura norte-americana I. Título.

12-02867 CDD-813

Índice para catálogo sistemático:
1. Ficção : Literatura norte-americana 813

Editora Novo Conceito

Rua Dr. Hugo Fortes, 1.885 — Parque Industrial Lagoinha
14095-260 — Ribeirão Preto — SP
www.editoranovoconceito.com.br

Para minha querida cidade de Nova York,
naquela época, agora e sempre.

# 1

**Hoje vou contar** para Scott Abrams que estou apaixonada por ele.

Às vezes, acho que, se ele soubesse, admitiria se sentir da mesma forma. Outras vezes, acho que ele daria tanta risada na minha cara que eu nunca me recuperaria.

Mas...

Poderia ser tão fácil! Simplesmente ir até ele, contar e ver o que acontece. Expor tudo. Finalmente saber como ele se sente em relação a mim.

Provavelmente seria mais fácil se ele soubesse que eu existo.

Durante dois anos, a esperança de que Scott Abrams pudesse gostar de mim me fez ir em frente. É como se eu vivesse dessa energia. A ideia de estar com ele chega a ser quase mais emocionante do que estar com ele de verdade, mas é claro que eu quero que essa fantasia se torne realidade.

A questão é que ele nunca me notou. Pedir desculpas porque esbarrou em mim acidentalmente no corredor, no ano passado, não conta. Por isso, contar a ele que pertencemos um ao outro talvez seja loucura.

Bem, acho que sou louca, porque vou fazer isso de qualquer jeito.

— Você não pode fazer isso — disse April.

Contar para Scott nunca foi um grande plano ou coisa do gênero. Quero dizer, sim, eu pensei nisso todos os dias, imaginei como seria incrível deixar alguém entrar em minha vida. Confiar em alguém completamente. No entanto, nunca pensei que realmente diria para ele como me sinto. Era só imaginação.

Então, ontem, quando April e eu estávamos enchendo balões para o piquenique do segundo ano (ela é o tipo de pessoa que gosta de se envolver em diversas atividades, o que acho bastante irônico), tive a ideia: eu contaria para ele no piquenique da escola. Provavelmente seria o último dia que nos veríamos até o recomeço das aulas. Além disso, era o período perfeito para começarmos a sair, com o verão todo pela frente. A combinação entre estar com Scott Abrams e dois meses de liberdade parecia o máximo!

April não concordou.

— Por que não? — perguntei.

— Pense, Brooke!

April deixou sair o ar de um balão vermelho parcialmente cheio.

— O que acha que ele diria se você contasse?

— Não sei. É por isso que não contei ainda.

— Quantas vezes nós já tivemos esta conversa?

April tinha razão. Ela me escutava falar sobre a obsessão por Scott há dois anos. Ela estava mais do que pronta para uma mudança de assunto.

— Mas você está supondo que ele não gosta de mim só porque nunca conversou comigo — continuei. — Nós não sabemos disso com certeza.

— Você realmente vai fazer isso?

— Vou.

— Depois de tudo o que conversamos?

— É.

— Você não vai se importar...

— Não — disse eu —, não vou me importar se ele espalhar para a escola inteira. E vou contar até para Candice que eu gosto dele. Não posso continuar fingindo que não pertencemos um ao outro.

— Mas como...

— Eu simplesmente *sei*.

Não consigo explicar "O Saber". É algo que sinto há muito tempo. Existem certas coisas que apenas sei, como quando alguma coisa crucial está prestes a mudar minha vida. Só aconteceu comigo algumas vezes, mas, quando acontece, é absolutamente evidente e incontestável. Tenho esta sensação intensa de clareza que força todas as outras coisas a se adequarem ao contexto. "O Saber" não está apoiado pela lógica ou por informações factuais, mas está sempre certo.

Você deve imaginar que April, a esta altura, estaria menos cética em relação ao "Saber", já que somos amigas desde o oitavo ano. Ela sempre esteve presente. Bem, não durante os períodos mais difíceis, mas as coisas aconteceram antes de nos tornarmos amigas.

É por isso que sei que Scott e eu temos de ficar juntos. Nunca tive tanta certeza de alguma coisa em toda minha vida!

Sempre tem teatro no piquenique do segundo ano.

Nos últimos três anos, aconteceram espetáculos muito importantes. Não *importantes* no sentido de "épicos e intensos", e sim no sentido de "horrorosos e errados". No ano passado, Gina Valento entrou em trabalho de parto ao tentar pegar um pão de hambúrguer; a bolsa rompeu e a água espalhou por toda parte, inclusive na horrível sandália masculina do senhor Feinburg. No ano anterior, um garoto quebrou o nariz de outro, que tinha riscado seu carro com uma chave. E, no ano anterior a esse, as calças da senhorita Richter abriram na costura traseira. Rasgou *muito*.

Eu realmente espero não ser parte do maior escândalo do piquenique do segundo ano, sobre o qual as pessoas vão fofocar no ano que vem.

Scott está do outro lado, com alguns garotos do time de lacrosse[1]. Ele não é como eles. Quero dizer, Scott tem cabelos lisos, loiros, olhos azuis bem claros e um metro e oitenta de altura, então ele se entrosa em qualquer grupo de garotos fisicamente privilegiados, mas

[1] Lacrosse é um jogo com dois times de dez jogadores, que usam bastões com cestas curvas nas pontas para pegar, carregar e jogar a bola (N. T.).

eu o observo há tempo suficiente para saber quem ele é realmente. Ele escuta atentamente quando as pessoas conversam com ele, irradia autoconfiança de um jeito que faz você querer ser seu amigo, e é muito inteligente.

Se você visse meu boletim escolar, não me acharia nem um pouco inteligente. Mas, se a escola me interessasse o suficiente para eu me importar e tirar notas decentes, as coisas poderiam ser diferentes. Mamãe sempre diz que sou inteligente. O que geralmente é seguido por uma reclamação de como eu deveria estar indo melhor na escola, ou como sou preguiçosa, ou como estou jogando minha vida fora por "não usar todo meu potencial". E aí a parte em que ela diz que sou inteligente fica aniquilada.

Mamãe não era assim tão severa comigo. Antes de papai se mudar, era muito mais fácil me dar bem com ela. Tudo mudou quando ele nos deixou. É como se ele fosse a cola que nos mantinha juntas. Ele foi embora quando eu tinha 11 anos. São longos seis anos de um relacionamento tenso com minha mãe, o qual, eu acho, nós nunca mais vamos conseguir melhorar.

Ele estragou tudo...

April me cutuca.

Eu o estava encarando de novo? Ah, provavelmente encarava ele de novo...

Recado para si mesma: pare de encarar Scott Abrams!

— Você ainda vai fazer aquilo? — pergunta ela.

— Sim.

— Fazer o quê? — Candice interrompe. — Aqui está sua limonada.

— OK, obrigada! — agradeço, pegando o copo. — Hum...

April me dá uma olhada rápida.

— Brooke só estava dizendo que vai comprar aquela bolsa que ela quer — diz ela a Candice.

— Aquela do Mandee? — continua Candice.

— A própria — confirmo. — Nós nos pertencemos.

— Está em liquidação?

— Não, mas só restam duas e sei que, se eu não comprar, vou ficar brava comigo. Estou de olho nessa bolsa há algumas semanas, esperando que entre em liquidação. É preta, com enfeites prateados: minhas cores.

— Ah, olha, a Jill! Vamos perguntar sobre a próxima semana — April puxa Candice.

Eu sei o que April está pensando. A ameaça de me deixar sozinha para fazer papel de boba na frente de Scott é menos grave que a ameaça de me deixar contar para Candice que eu gosto dele. Por isso, April a arrasta dali e olha para trás com olhos suplicantes, tipo: "Não faça isso!".

Scott continua com o time de lacrosse. Não sei como farei para ficar a sós com ele. Ontem, quando tomei a decisão, de repente, de contar para ele, ela não veio com instruções.

Então, Scott vai até a mesa de bebidas. Sozinho.

É a minha chance. Estou nervosa demais. A questão é que pode ser a única chance do dia e, se não aproveitá-la, talvez somente o veja no próximo ano. Eu me forço a ir até ele.

Scott está vasculhando o *cooler*.

— Você está vendo algum *Mountain Dew*?[2] — pergunta ele.

Olho para trás para ver com quem ele está falando.

Somos os únicos aqui.

Scott Abrams está falando comigo.

— Hum... — dou uma olhada nas latas de refrigerantes. — Não, desculpe...

Ele pega um Ginger Ale.

Sempre que estou perto dele, Scott exerce este extremo poder sobre mim. Ele nem precisa estar dentro do meu campo visual para

[2] Refrigerante não alcoólico, de cor verde-limão característica, fabricado pela Pepsi nos Estados Unidos (N. T.).

me deixar ruborizada. Só de saber que está no mesmo prédio em que estou, já fico nervosa. Por isso, estar assim tão perto dele faz com que todas as células do meu corpo vibrem, na maior expectativa.

Ele está segurando a tampa do *cooler*, mantendo-o aberto.

— Você queria um?

— Ah, é! Certo. Desculpe!

Recado para si mesma: pare de se desculpar.

— É bem fraco — diz Scott.

O que significa que ele continua falando comigo...

— Totalmente.

Eu é que sou fraca. Por algum motivo bobo que nunca entenderei, ainda estou olhando para o *cooler* tentando decidir qual bebida eu quero. O que parece impossível fazer enquanto estou sendo observada pelo garoto por quem sou apaixonada.

Concentre-se! Devo simplesmente me aproximar dele e contar? Ou devo lhe perguntar se pode conversar mais tarde?

— Você faz origami, né? — pergunta Scott.

Espere aí! Como ele pode saber disso? Eu faço dobradura de papel há anos. Minha fascinação por origami começou no sétimo ano, quando a senhora Cadwallader nos ensinou a fazer copos de papel. Continuei até conseguir fazer o pinguim, o dinossauro e o elefante. Atualmente, trabalho em uma família de polvos.

— Faço.

Escolho um Ginger Ale. Scott fecha o *cooler*.

— Como sabe disso?

— Eu vi você — responde ele.

— Viu?

— Você não fez aqueles enfeites para a senhora Litchfield no ano passado?

— Fiz.

— Ficaram muito legais!

— Obrigada!

Eu *não posso* acreditar que ele se lembra disso. E o que ele quis dizer com: "Eu vi você"? "Eu vi o quanto você é comum"? Ou "eu vi você porque também estou apaixonado por você"?

Apesar de todos os assuntos possíveis que listei para conversar com Scott Abrams e de todo o roteiro que planejei caso uma oportunidade como esta surgisse, neste exato momento não consigo pensar em nada que possa mantê-lo interessado na conversa.

Está na hora de arriscar.

— Scott, eu...

— Oi, Abrams, me passa um Dew? — grita Chad.

— Acabou! — grita Scott de volta.

— Me passa uma Sprite!

Scott joga uma para ele. É óbvio que o arremesso é perfeito. E é claro que Chad pega a lata no ar como se fosse a coisa mais fácil do universo. Esses garotos não são do tipo "totalmente esportistas", mas têm uma linguagem corporal esportivo-burguesa na qual nunca serei fluente. Apesar disso, não sou horrível em esportes. Sou flexível e consigo correr bem rápido. Até já corri com meu pai algumas vezes, quando era bem mais nova. Algumas amigas da minha mãe me descrevem como "magra e forte". Eu só não sou adepta de esportes em equipe. Você tem de confiar nas pessoas para pertencer a um time.

— Sim? — diz Scott.

— O quê?

— Você estava dizendo...?

— Ah, não, é só...

O que eu estava pensando? Não posso contar para ele aqui. Alguém pode chegar a qualquer momento. No entanto, também não posso perguntar a Scott se quer dar uma volta ou algo parecido. Seria esquisito, essa foi a primeira conversa que tivemos. Se é que podemos chamar assim.

— Nada — concluo eu.

Ele olha para mim e diz:

— É uma pena que nunca conversamos antes.

— Sempre temos o próximo ano.

— Não, não temos. Bem, *você* tem. Eu vou me mudar.

Para tudo! Scott Abrams está se mudando?

Coração...

Em...

Pedaços.

— Você está... *se mudando*?

— Para Nova York. Detesto não estar aqui no ano que vem, mas meu pai foi transferido.

— Quando?

— Contaram para ele há três meses...

— Não, quando você vai se mudar?

— Na semana que vem.

Um grupo de garotos passa por nós, correndo, com pistolas de água, espirrando um no outro. Minha camiseta fica imediatamente encharcada.

— Que droga! — Scott diz, olhando para a camiseta.

Tudo que consigo dizer é:

— Você não tem ideia.

# 2

**Papai foi** muito além.

— Não acredito!

Eu olho para o quarto com cara de boba.

— Isso é incrível!

— Então você gosta? — pergunta papai.

— Você está brincando? Eu *adoro*.

Não sei como papai conseguiu deixar este quarto arrumado para mim em uma semana. Parece que era seu *home office* antes. Agora é meu novo quarto.

Na cidade de Nova York.

A única coisa sobre a qual consegui pensar durante o verão todo foi a mudança de Scott. Como ele nunca saberia o que significa para mim e nunca perceberia que pertencemos um ao outro. Como eu nunca descobriria se ele se sente da mesma forma.

Fico reprisando o que ele disse no piquenique: "Eu vi você. É uma pena que nunca conversamos antes". Uma pessoa não diz isso se não estiver pelo menos um pouco interessada em você. E o jeito que ficava olhando para mim, como se estivesse tentando me dizer alguma coisa... Alguma coisa que eu gostaria de ouvir.

Percebo nosso potencial, o que poderíamos ser juntos. Se ao menos eu tivesse mais uma chance...

Quando meu pai foi embora, ele comprou um apartamento de dois quartos em Greenwich Village. Eu nunca tinha ido lá, mas tinha ouvido dizer que o bairro era incrível. Parecia ser o lugar ideal para mim. Apesar de ser possível avistar, da minha cidade, South Jersey, a silhueta da cidade de Nova York contra o céu, ainda assim parecia tão longe! Viver em Nova York foi meu sonho por muito tempo. Sempre tive a esperança de morar lá um dia, quando minha verdadeira vida começasse. Bem, esta era uma oportunidade para a minha verdadeira vida começar mais cedo.

Era tão importante para mim que liguei para meu pai. Foi uma grande coisa. Não falava com meu pai desde que ele tinha ido embora. Naturalmente, ficou surpreso de ter notícias minhas. Quando nos deixou, tentou me manter como parte de sua vida, mas eu não quis. Não retornei suas ligações, nem fui visitá-lo quando convidou. Depois de um tempo, ele desistiu.

É por isso que ele não acreditou que eu estava ligando.

— Estou tão contente por você ter ligado — disse papai. — Sinto sua falta!

— Bem... sei que foi há muito tempo, mas você se lembra de que falou para mamãe que eu podia ficar com você?

— Sim.

— A oferta é válida ainda?

— Quando quiser!

Claro que não contei a ele sobre Scott. Só falei de como eu precisava de uma mudança e como uma escola melhor me motivaria academicamente.

— Quero muito mudar para outra escola — disse a ele. — Já investiguei a West Village Community on-line...

— É uma das melhores escolas da cidade.

— Eu sei.

— Adoraria ter você aqui — disse papai, todo animado.

Quando forças fora do seu controle assumem a direção, elas levam você a fazer coisas bobas. Ou coisas loucas, como esta que o amor estava me levando a fazer, dando uma total reviravolta em minha vida. Até pensar sobre a mudança era incrível! Mas também me sentia mal, pois estava mentindo sobre a história da escola. Como se me importasse com o lugar onde ia estudar! Porém, era o único jeito de convencer meu pai de que eu tinha um motivo válido para me mudar.

E era o único jeito de convencer minha mãe a me deixar ir.

— Qual é o assunto? — perguntou mamãe, desabando no sofá.

Eu me lembro quando papai costumava desabar no mesmo sofá, exausto após um longo dia de trabalho e da viagem para chegar em casa. É tão estranho ainda estar na mesma casa, com as mesmas coisas, só que sem o papai...

Eu estava muito agitada para sentar. Fiquei perto da mesa de centro, balançando um pouco.

Não conseguia me lembrar da última vez que tinha conversado com mamãe sem me sentir tensa. Desde quando papai nos deixou, é como se não conseguíssemos nem assistir à TV sem "tensão" entre nós, como um hóspede indesejado que diz que vai ficar apenas alguns dias e nunca vai embora.

— Se você não estiver com vontade de conversar... — disse eu.

Não que ela tenha sentido alguma vontade de conversar nos últimos tempos, mas eu já deveria saber que não dá para falar com ela assim que chega do trabalho. Ela detesta seu trabalho. Pessoalmente, não acho que exista algum trabalho que lhe agradasse. Mamãe não trabalhava quando o papai morava aqui. Era uma pessoa muito mais feliz. Então papai foi embora e ela se tornou toda amarga e de mal com a vida.

— Pode ser agora — disse ela.

— Porque nós podemos conversar mais tarde...

— Brooke — mamãe esfregou a têmpora —, o que é?

No canto, o relógio do vovô tiquetaqueou. Os tique-taques pareceram mais altos que de costume.

— OK, tem uma coisa que estou querendo fazer e já planejei tudo, então você nem vai ter que fazer nada. Tudo que preciso é de sua permissão.

— Para quê?

Existem dois assuntos que enfurecem mamãe: escola e papai. Eu os evito o máximo possível, mas, se quisesse ir em frente, teria de falar sobre ambos.

— Não é nada grave! Eu... hum... quero morar com papai por um tempo, é isso. Só durante o terceiro ano.

Mamãe deu uma risada alta.

— Por que você quer fazer isso depois de tudo que ele fez para nós?

— Basicamente? Não me sinto suficientemente desafiada na escola, e você está sempre dizendo que preciso me dedicar mais, que não estou usando todo meu potencial e tudo mais. Mas eu não consigo me esforçar mais, a menos que esteja motivada. Minha escola é horrível! A escola no bairro do papai é excelente.

— Como você sabe?

— Eu pesquisei. Tem muito dinheiro naquela área. Mais dinheiro significa escolas melhores.

— É realmente por isso que você quer morar com ele? Para ir para uma escola melhor?

— É.

De novo, eu estava mentindo, mas não me importava. Ela nunca me deixaria mudar para a cidade e morar com papai só para ir atrás de um garoto.

— Eu tenho que mostrar para as faculdades que levo a sério a ideia de melhorar minhas notas. Além disso, posso escrever sobre minha transferência nas redações dos formulários de inscrição.

Mamãe estava cética.

— Ele disse que podia morar com ele se eu quisesse...

— Eu *sei* o que ele *disse*.

— Então... posso?

— De jeito nenhum!

— Por que não?

— Morar comigo é tão ruim assim que você tem de sair correndo para morar com aquele manipulador filho da mãe?

Será que mamãe não percebia que a raiva estava destruindo sua vida? A mamãe que eu conhecia era tão diferente! Ela costumava plantar flores no jardim da frente na primavera, jogar cartas com os vizinhos e fazer trabalho voluntário no centro de assistência a idosos. De vez em quando, ela até me surpreendia, depois das aulas, com bolachas de creme de amendoim recém-saídas do forno. Aquelas sempre foram minhas tardes favoritas... Eu sentava à mesa da cozinha e fazia minhas tarefas, enquanto mamãe começava a preparar o jantar. Eu me sentia realmente segura, como se nada precisasse mudar um dia.

Era tão ingênua naquela época!

Durante os últimos anos, mamãe foi gradualmente parando de fazer essas coisas. Às vezes, nem a reconheço.

Bati com a perna na mesa de centro, como se, de repente, minha mente não conseguisse controlá-la mais. O controle remoto pulou. Eu gostaria muito que ele tivesse uma tecla: RESTABELECER A CONVERSA.

— Ele não é...

— Você só tem mais um ano. Depois, pode ir para uma faculdade em qualquer lugar.

— Bem, não posso exatamente entrar em *qualquer lugar*, mas...

— Por que você está fazendo isso comigo?

*Tão* irritante! É sempre algum problema com ela.

— Não é nada com você, mamãe. É comigo.

— Bem, você pode esquecer — revidou ela.

— Acho que não.

— Como?

— Não estou tentando desafiá-la. Você sempre acha isso, mas não quero brigar com você. Só quero ir para uma escola melhor.

— Parece que você já se decidiu — disse ela. — Não posso forçá-la a ficar. Então, se é isso que você quer, ótimo. Deixe-o lidar com a educação da filha, para variar.

— Só quero fazer o que é melhor para o meu futuro — disse eu, em voz baixa.

— Eu não gosto disso.

— Você não tem de gostar.

Então agora estou aqui, morando com meu pai. Vou para uma nova escola, que começa em dois dias. Tudo isso para ficar mais perto de Scott Abrams.

— Minha *designer* de interiores fez um trabalho fantástico! — papai diz. — Não consigo acreditar que este era meu *home office*.

— Ela trabalhou muito rápido.

— É o que você recebe quando paga para ter o melhor.

Faço que sim com a cabeça, como se pudesse entender.

— Meu arquivo costumava ficar aqui. — Papai aponta em direção a uma cômoda grande.

Ela tem aquele cheiro de madeira nova.

— Adorei!

— Ela achou que você ia adorar. É da Crate and Barrel.

— É muito legal. Estava mesmo precisando de mais gavetas.

Papai e eu estamos começando bem, considerando que é a primeira vez que o vejo em seis anos. Acho que nós dois estamos tentando fazer as coisas darem certo. Em minha opinião, não há motivo para drama desnecessário, depois de tanto tempo. Provavelmente por isso, nós estamos sendo tão educados um com o outro. E é por isso que meu pai está me dando este quarto incrível.

Ele explica as outras mudanças que sua *designer* de interiores fez. Tenho uma escrivaninha e uma estante novas, além de um criado-mudo, tudo sofisticado, combinando em branco. O armário foi refeito para ter uma parte para pendurar roupas e outra, com gavetas, prateleiras e cubículos, para sapatos. A luz entra pelas duas janelas grandes, voltadas para o sul, e uma brisa sopra através das cortinas brancas de algodão. Minha cama também é da Crate and Barrel. É bem mais alta que a cama lá de casa e tem gavetas embaixo.

Obviamente, adoro meu quarto novo. Fico reparando em todos os detalhes. No meio do piso de madeira de lei, um tapete redondo, com listras brilhantes; nos bancos abaixo das janelas, almofadas com cores que combinam com as listras do tapete e um almofadão cor de maçã verde. Um grampeador vermelho brilha na escrivaninha branca e, perto da porta, há um quadro magnético com lindos ímãs cintilantes.

— Estou contente que você tenha gostado — diz papai.

— Obrigada por me deixar ficar!

— Esta é sua casa também. É ótimo tê-la aqui, filhota.

*Filhota* me sensibiliza profundamente. É como ele costumava me chamar na época que era um pai de verdade.

Não adianta ficar com raiva de coisas que não podem ser desfeitas.

Não consigo acreditar que estou realmente aqui. Depois de todo aquele tempo desejando morar em Nova York um dia, agora é real. A empolgação borbulha dentro de mim e faz com que me sinta viva de um modo que nunca senti antes.

Não demoro muito para desfazer as malas. Deixei muita coisa em casa. Trouxe apenas roupas e livros... e minha caixa de desejos.

Minha caixa de desejos é o que tenho de mais secreto. Ninguém sabe que ela existe, nem April. Eu me sentiria uma boba explicando do que se trata esta caixa. Funciona assim: coloco bilhetes com meus desejos dentro dela, depois fico esperançosa. É a única coisa que me mantém sã e me faz acreditar na possibilidade de que coisas improváveis poderão se concretizar. Eu tenho de me agarrar a essa esperança. É a esperança que me faz prosseguir.

# 3

**Eu mudei para cá** por causa de um garoto que não sei como vou encontrar.

Pelo menos moramos no mesmo bairro. Foi o que Chad disse quando o encontrei, por acaso, na loja de conveniência Gas'n'Sip, pouco antes da minha mudança. Então você pensou que encontrar Scott não seria tão difícil assim? Só que, aqui, é Nova York. Existem milhões de pessoas em cada quadra. Poderíamos morar aqui a vida inteira sem nunca nos encontrarmos.

Meu estômago está embrulhado. Estou tão aflita que não consigo nem distinguir se é somente nervosismo ou fome também. Antes de papai sair para trabalhar, ele me deu dinheiro para a semana. Depois me disse onde comprar o melhor pãozinho e café, a mais importante dica de sobrevivência, segundo ele. Foi estranho como presumiu que eu bebo café, em vez de ficar falando que eu não podia tomar, como a mamãe. O estômago embrulhado me impediu de comer antes da aula. Agora, gostaria de ter comido alguma coisa mesmo assim.

Dou mais uma olhada no auditório. É a reunião do terceiro ano, então, se Scott veio para esta escola, ele tem de estar em algum lugar aqui, neste momento. Toda vez que olho ao redor, as pessoas me encaram de volta. Eu me forço a não olhar. Não quero ganhar a reputação instantânea de maníaca que fica encarando.

Foi um risco trazer o celular. Se for confiscado, posso dizer que não conhecia as regras. Coloco as mãos dentro da minha bolsa e verifico minhas mensagens: nada de Candice ainda.

Por um lado, parece com qualquer outro primeiro dia de escola. Todos vestem suas melhores roupas novas, os alunos estão nervosos, os professores distribuem as regras das aulas, que logo serão esquecidas. Os lápis são novos e as pessoas estão contando como foi o verão, tristes pela liberdade que não terão até junho. Por outro lado, é profundamente diferente. As salas de aula são relativamente impecáveis, os professores parecem mais profissionais. Tem até um verdadeiro código de disciplina. Fiquei chocada ao descobrir que os alunos sofrem consequências, de verdade, se não seguem as regras. Minha escola antiga era enorme, portanto, você podia ir embora com qualquer coisa porque ninguém saberia que você existiu. Eu tenho a impressão de que as coisas não funcionam dessa forma aqui.

Até a quinta aula ainda não tinha visto Scott em lugar nenhum. Começo a pensar que ele não está nesta escola. É a única escola para as pessoas que moram nesta região; porém, em Nova York, as escolas funcionam de um jeito diferente. Você não é obrigado a ir à mais próxima de onde mora. Scott poderia ir para alguma escola aleatória no Brooklin, pelo que eu sei.

Encontrá-lo é a única coisa que me importa. Não vim aqui para fazer novos amigos. Já tenho April e Candice. Deixá-las foi muito difícil, mas nós conversamos o tempo todo. E não será difícil nos visitarmos, já que o trem daqui para lá e de lá para cá passa o dia todo. Então, quem precisa de mais amigos? E, de qualquer maneira, qual o sentido de fazer novos amigos? Nós todos tomaremos rumos diferentes no final do ano. Por fim, todo mundo vai embora. Quanto mais próxima você ficar de alguém, mais vai doer depois que ele partir.

Então é isso: não vou me juntar ao time dos entusiasmados.

Um pouco antes da oitava aula, quando já estou achando que nunca mais verei Scott Abrams, entro rápida e desesperadamente em um corredor, à procura de uma sala que, aparentemente, não existe. O sinal toca. Procuro meu horário na bolsa para checar novamente o número da sala.

— Perdida? — alguém diz.

— Um pouco. Bem, sim. Estou tentando encontrar a sala 238. Você...

Olho para cima...

E ali está ele:

Scott Abrams.

— Ei — fala ele —, conheço você!

— Engraçado — digo eu.

Porque é claro que ele me conhece. Ele disse que deveríamos ter conversado mais, que adora meu origami. Só que não está sorrindo, nem algo parecido.

Então Scott diz:

— De onde eu te conheço?

O mundo...

Se...

Despedaçando.

— Hum... Sou Brooke Greene. Nós estávamos...

— É verdade! Desculpe, estou meio perdido no tempo e no espaço, tentando achar a sala 238.

— Estou assim também.

— Você acha que é uma conspiração?

— Tudo que sei é que a sala 238 deveria estar em algum lugar entre a 236 e a 240, mas não está.

Recado para si mesma: não comece a chorar.

Eu colocaria isto no arquivo "É Claro", se não fosse tão trágico. Meu arquivo mental "É Claro" está abarrotado de coisas como esta. Como em: "Claro que me mudei para Nova York por um garoto que não sabe que existo!".

Mas tem "O Saber": sei que pertenço a Scott. Sei que aqui é meu lugar.

— Não é melhor perguntarmos na secretaria? — sugiro.

— Boa ideia!

Quando chegamos à metade do corredor, Scott diz:

— Espere! Por que você está aqui?

— Estou nesta escola.

— É tão estranho!

— Eu sei.

— Quando você se mudou?

— Há alguns dias.

— Por quê?

Não vou admitir de jeito nenhum. Pelo menos não agora.

— Ah, porque...

Por outro lado, se eu me abrir e contar tudo, ele finalmente saberá. Não foi por isso que vim? Para fazê-lo entender que pertencemos um ao outro? O problema é que pode ser que eu seja a única que consiga ver nosso potencial neste momento. Se o assustar, talvez nunca fiquemos juntos.

Decido pela verdade, com a omissão de uma parte.

— Estou morando com o meu pai agora.

— É legal?

— É, muito legal. Eu adoro aqui.

— Eu também. Qualquer lugar onde você consiga um sanduíche às 3 horas da madrugada já é o meu tipo de cidade.

Chegamos à secretaria. A funcionária está ao telefone.

Nós esperamos.

Quando Scott se apoia no balcão, seu braço toca levemente o meu. Nossos braços ficam totalmente encostados.

E ele não afasta o braço.

— Onde é o apartamento do seu pai? — pergunta Scott.

— Perry Street.

— Moro na West 11$^{th}$.

— Elas são próximas?

Scott sorri.

— Ei, vizinha!

Depois da escola, quando atendo o telefone, April nem me espera dizer "oi". Ela pergunta:

— Ai, meu Deus, você encontrou o Scott?

— Encontrei. Como você sabe?

— Chad me contou.

— Desde quando você conversa com Chad?

— Desde hoje. Nós dois ficamos até mais tarde e ele veio conversar comigo.

— Mas como Chad sabe que encontrei Scott?

— Scott contou para ele.

— *O quê?!*

— Eu sei...

— Quando?

— Scott ligou para ele logo depois das aulas.

— O que ele disse?

— Apenas que vocês têm uma aula juntos e que ele ficou muito surpreso de ver você.

— Ele ficou?

— Claro!

— Assim, surpreso de um jeito bom?

— Com toda a certeza!

Sem dúvida, as coisas estão dando certo. Nós moramos bem perto um do outro. Estamos na mesma escola. Temos uma aula juntos. Nós até conseguimos sentar próximos. Na hora que encontramos a sala 238, só restavam dois lugares na frente. Minha aversão à primeira fileira não era nada comparada ao meu desejo de sentar perto dele.

Scott Abrams contou a seu melhor amigo sobre mim.

Fico aliviada porque April está entusiasmada com isso. Quando contei a ela que estava mudando para cá, ela não ficou exatamente feliz. April ainda achava que dizer para Scott como me sentia era uma má ideia. E que segui-lo até aqui era uma ideia pior ainda. Apesar de saber que eu, há muito tempo, queria morar em Nova York, ou seja, não tinha vindo para cá somente por causa de um garoto... Bem, nós duas sabíamos que, na verdade, tinha. April não queria que me machucasse mais do que já havia me machucado, mas, no final do verão, ela cedeu. Viu como eu estava arrasada e sabia que eu tinha de fazer isso.

Conto para April cada detalhe do que aconteceu com Scott hoje.

— Não acredito que as duas únicas carteiras vazias eram próximas e vocês ficaram juntos na sala! — exclama ela. — Que perfeito!

— Extremamente. Agora não tenho de me arrastar atrás dele como uma trepadeira.

— E então... quando você vai contar para ele?

— Estou em dúvida. Talvez seja melhor esperar um pouco. Quero dizer, vou vê-lo todos os dias. Talvez seja melhor dar mais um tempo para ele se acostumar comigo aqui.

— Parece um bom plano.

— É muito chato ele não ter me reconhecido, né?

— Bem, não é o ideal, mas também foi o primeiro dia dele em uma escola nova. Vocês dois estavam meio deslocados. Eu não me preocuparia. Além disso, ele contou para Chad sobre você e tudo... Duvido que faria isso se não estivesse feliz por você estar aí.

Faz sentido. Nós poderíamos analisar a situação para sempre, porém, a única forma de saber com certeza o que Scott pensa é perguntando para ele.

April e eu comparamos nossos primeiros dias. Sempre soube que minha escola antiga era uma porcaria, mas agora fica confirmado que é ainda pior do que pensava.

Então eu digo:

— O que aconteceu com a Candice? Ela não respondeu minhas duas últimas mensagens e não está retornando as ligações.

— Não sei. Quer que eu pergunte?

— Quero. É estranho, faz dois dias que não conversamos.

— Vou falar para ela te ligar.

— Me liga amanhã.

— Claro! Boa sorte com Scott.

Sorte não é exatamente do que preciso. O que quero é ter certeza de que não tumultuei minha vida inteira para nada.

# 4

**Scott poderia estar em seu quarto,** atrás de qualquer uma dessas janelas. Talvez estivesse me observando neste exato momento.

Não posso acreditar que ele mora uma rua acima da minha. Esta é para o arquivo "É Claro": "É claro que nós moramos mais perto um do outro agora. No entanto, ele pode morar em qualquer lugar da Rua West 11th, ela tem várias quadras".

Há mais de uma hora, estou andando para cima e para baixo na rua dele. Andando e querendo encontrá-lo. Adoro explorar meu novo bairro assim. Estou acostumada a andar de carro, ninguém andava a pé na minha cidade. Mas os nova-iorquinos vão para todos os lugares caminhando, e agora sou um deles. Minhas pernas já estão reclamando da diferença.

Eu paro. Quero ficar quieta por um minuto e absorver a energia, sentir como é incrível estar neste lugar que me chama há tanto tempo. É como se eu já o conhecesse tão bem! Como se estas ruas, de alguma forma, tivessem sido sempre minhas. Só de estar aqui fora, nesta noite quente, sob a iluminação dos postes e dos letreiros luminosos de neon, já fico emocionada, pois estou, finalmente, rodeada de tudo o que imaginei. É muito estimulante!

— Noite bonita! — uma senhora idosa diz, inclinando-se para fora de sua janela de arenito pardo, no primeiro andar.

A janela está bem aberta e ela está regando as flores da jardineira.

— É — confirmo eu. — Adoro suas flores!

São pequenas e de diversas cores. Elas parecem felizes.

— Obrigada! Eu tento... Nem sempre é fácil.

Balanço a cabeça sem entender o que ela quer dizer. Nem sempre é fácil manter as flores vivas? Ou nem sempre é fácil se lembrar de regá-las? Ou talvez seja uma declaração geral sobre a vida. Quando a vida é fácil? Geralmente é um problema atrás do outro, como o de morar com meu pai.

De fora, não parece que existe um problema. De fora, provavelmente parece um feliz reencontro entre pai e filha. A verdade é que os últimos três dias foram realmente estressantes. Nossas conversas ainda têm aquele tom educado, mas, por baixo de toda a educação, tem um mundo de mágoa. Nós dois sabemos que ela está lá, escondida. Só fingimos que não. Cuidamos para que os assuntos das conversas sejam: a escola (com a qual já estou me acostumando), a cidade (papai está planejando um *tour* juntos) e a faculdade (não tenho a menor ideia para onde quero ir). Papai não me pergunta nada sobre a mamãe. Eu não pergunto por que ele nos deixou. Qual é o motivo para desenterrar um monte de coisas que ficam melhores enterradas?

Parece que procuro o apartamento do Scott há uma eternidade. Ele não está em lugar nenhum. Por fim, encontro esta pequena rua de paralelepípedos que parece pertencer a um século diferente. Desço devagar, passando por janelas com lâmpadas quentes, famílias jantando, pessoas hipnotizadas por seus computadores. Aqui é tão diferente! Na minha cidade, todo mundo fechava as cortinas à noite. Aqui você consegue ver o interior de quase todos os apartamentos. É como se os nova-iorquinos estivessem dizendo: "Olhem à vontade! Nós sabemos que reinamos".

De repente, aparece uma rodovia e, depois, o rio Hudson. Muitas vezes fiquei parada à minha janela, do outro lado desse rio, olhando para a linha do horizonte como se ela tivesse infinitas possibilidades de uma vida melhor, desejando estar deste lado das coisas. E agora aqui estou. Cheguei ao outro lado. E tudo por causa de Scott Abrams. Ele me deu um motivo para deixar meu mundo inteiro para trás.

Há uma trilha ao lado do rio onde algumas pessoas estão passeando com seus cachorros, correndo ou andando de bicicleta. O ar cheira à grama recém-cortada. Tudo parece novo e limpo. Uma placa diz:

HUDSON RIVER PARK
ABERTO ATÉ 1H

Estou exausta da caminhada. Só quero me sentar em algum lugar e fazer uma dobradura com o pedaço de papel que encontrei.

O que mais gosto no origami é que sempre tem alguma coisa nova. Você nunca consegue dominar tudo o que tem para aprender, quer seja uma criação mais difícil do que a que acabou de fazer, quer seja uma completamente nova, na qual ninguém tinha pensado ainda. Você sempre pode fazer melhor do que antes.

Você sempre tem uma nova chance.

Encontro uma área com grama alta, flores e bancos simples de madeira. É um tipo de jardim zen. Eu me sento em um banco e fico olhando para o rio. Depois, aliso as rugas do papel. Papel achado é vida real. Vida real não está limitada por dimensões precisas. Ela se estende além das fronteiras, vem com falhas. As coisas nunca são fáceis, particularmente quando você espera que elas sejam. Como quando as pessoas o desapontam e se mostram inteiramente diferentes do que você achou que eram.

Às vezes, as pessoas podem ser muito destrutivas.

Recentemente, consegui dominar o origami da girafa. Agora estou tentando um rinoceronte, mas é difícil me concentrar durante mais do que alguns minutos. Este parque é incrível! Apesar de estar ficando tarde, tem muita coisa acontecendo: muitas pessoas andando por aqui ou em barcos no rio, toneladas de janelas com luzes acesas nos edifícios à volta, carros passando a toda velocidade na rodovia. Não importa a hora, sempre há pessoas fazendo coisas em Nova York. Lá no subúrbio, é provável que, neste momento, todos estejam dentro de casa assistindo à TV, ficando com sono. Todos vão dormir e levantar mais ou menos no mesmo horário. Aqui você pode ficar livre dessas restrições, pode viver completamente esta vida única, que é toda sua.

Do lado de fora do jardim zen, tem uma fileira de bancos ao longo do rio. Uma garota está sentada em um deles, desenhando alguma coisa. Fico muito feliz de estar perto de pessoas inteligentes e artísticas, mesmo não as conhecendo. Só de saber que todos esses tipos criativos vieram para Nova York atrás de seus sonhos é inspirador.

A garota parece ter a minha idade, então provavelmente cresceu aqui. Deve ter morado aqui a vida inteira. Uma ponta de inveja me espeta. Ela é como a Garota dos Luminosos da Cidade, que sabe todos os segredos legais deste lugar. Será que ela sabe o quanto é sortuda? Será que é grata por tudo que tem?

Isso é ridículo! Estou com inveja de uma garota que nem conheço!

Concentro-me em minhas dobraduras, mas, depois de um tempo, olho para cima novamente.

Sob o brilho suave da iluminação da rua, posso ver seu perfil. Nós duas temos a mesma tonalidade castanho-médio nos cabelos. Os dela são muito encaracolados, enquanto os meus são apenas ondulados. E acho que nós duas temos olhos castanhos. Se eu pudesse mudar alguma coisa em mim, seria a cor dos olhos. Meus olhos têm aquele tom "castanho monótono com nada de interessante acontecendo". A Garota dos Luminosos da Cidade provavelmente tem pontinhos dourados nos dela. Ela provavelmente tem um monte de coisas que eu não tenho.

Pode ser que nunca tenha todas as coisas que quero, mas uma coisa que realmente tenho é uma vida nova. E eu decido o que acontecerá depois.

# 5

**A aula a que Scott e eu** assistimos juntos é chamada de Fora da Caixa. Parece ser divertida. Uma aula realmente divertida seria uma experiência inteiramente nova para mim. Aparentemente, a aula é uma combinação entre lógica, pensamento criativo e alguma coisa que o Sr. Peterson chama de "limpeza do cérebro". Alguém perguntou o que era "limpeza do cérebro" e o Sr. Peterson respondeu algo como: "Quando acontecer, você saberá". Ele parece bem legal para um professor de 50 e poucos anos. Ele tem um jeito relaxado, como se tivesse sido um beatnik[3] no passado.

Não havia nada parecido com isso na minha escola antiga. Eu nem sabia que era permitido ter aulas assim. Se existissem mais aulas interessantes, talvez o sistema escolar não fosse uma decepção tão profunda.

Mas é só uma aula.

A qual faz parte da escola.

O que é ruim.

O único motivo para não me incomodar de sentar na primeira fileira é porque assim fico perto de Scott Abrams. Normalmente, evito a primeira fileira. Sentar na frente torna você um alvo: os professores o chamam mais e é mais difícil evitar contato visual com eles quando se está exposto desse jeito. E eles supõem que você esteja interessado em participar, já que você decidiu se sentar ali, o que, no meu caso, não estaria muito longe da verdade.

[3] Os beatniks foram um movimento sociocultural nos anos 1950 e início dos anos 1960, que subscrevia um estilo de vida antimaterialista, depois da Segunda Guerra Mundial (N. T.).

Sentar perto de Scott significa conseguir ver como ele escreve. Ele pressiona a caneta com força, riscando rapidamente pequenas letras. Quando vira a página do caderno, dá para ver as marcas das palavras da página anterior. Está sempre mexendo com a caneta: ele a gira e, rapidamente, a vira em sua mão. Se eu tentasse fazer isso, minha caneta provavelmente voaria para o outro lado da sala e espetaria o olho de alguém. Scott senta com um dos pés apoiados no degrau da cadeira porque é um pouco alto para a carteira. Ele tem um jeito de folhear o livro como se estivesse tentando arrancar as páginas ou algo parecido: vira-as bruscamente, de propósito. Eu nunca tinha sentado perto o suficiente para reparar nisso antes. O mais perto do Scott que já estive foi no ano passado, quando sentei duas filas atrás dele na aula de inglês.

Isso é muito melhor.

Quando o sinal toca, todos se movem rapidamente. É nossa última aula do dia. Seria fácil conversar com Scott agora, mas, quem sabe, ele não fala comigo primeiro? Guardo minhas coisas com calma. Não tinha notado o quanto este lápis pode ser fascinante.

— Ei! — diz Scott.

— Ei!

— Você consegue acreditar numa aula assim?

— Eu sei...

— Seria praticamente ilegal ter uma aula parecida como essa lá em Jersey.

— É verdade! — *Eu me mudei para cá por sua causa. Nós pertencemos um ao outro.*

— Então — continua ele —, te vejo na segunda-feira?

— Se não antes.

— Certo, no bairro. Isso me lembra... você vai ao River Flicks?

— O que é isso?

— Você não sabe nada sobre o River Flicks?

— Acabei de chegar aqui, lembra?

— Desculpe. — Scott dá um sorriso rápido, que faz que, do outro lado da sala, as garotas olhem para ele. — Eu tive o verão inteiro para investigar. É aquela coisa lá no Hudson River Park...

— Fui lá ontem à noite.

— Ah, legal! Eles passam filmes ao ar livre o verão todo e hoje à noite é o último.

— Qual é?

— Excelente pergunta... Esqueci, mas é dos bons. Eu vou.

— É mesmo?

— Você deveria ir para conferir.

— Talvez eu vá.

O que significa isso exatamente? *Você deveria ir para conferir*. Será que está dizendo que eu deveria ir só porque vou gostar? Ou será que foi um jeito discreto de me convidar para sair?

A tela do cinema é enorme. Ainda bem longe, na rua, já é possível ver o filme começando. Eu não queria chegar cedo aqui. Não queria parecer tão desesperada quanto estou.

Foi um erro.

O píer 54 está lotado. Em frente à tela, tem uma área com cadeiras dobráveis e, atrás delas, um espaço para sentar na grama. Todas as cadeiras estão ocupadas. A grama está abarrotada de pessoas. Eu não conseguiria passar de jeito nenhum. Continuo procurando um local vago longe da multidão.

Não vejo Scott em lugar nenhum. Ele já deveria estar aqui. Talvez esteja me esperando, quem sabe guardando um lugar para mim.

Este seria o lugar perfeito para contar a ele. Um filme ao ar livre. O luar sobre o rio. A luz das ruas de nossa cidade natal brilhando suavemente ao longe no horizonte.

Passo cuidadosamente por cima de uma perna, segurando firme no corrimão, ao longo da beira do píer. Vou chegando mais perto da tela, tentando não atrapalhar a visão de ninguém.

Então o vejo. Eu conhecia muito bem a parte de trás da cabeça de Scott, depois de haver passado tanto tempo olhando para ela na aula de inglês, no ano passado, por isso o reconheço prontamente. Ele está sentado na quarta fileira. Seria impossível sair daqui, no píer, e chegar lá, mas do outro lado tem um pouco mais de espaço.

Abaixada, corto caminho atrás da área das cadeiras. Agora posso ver que Scott não reservou um lugar para mim. Talvez tenha tentado, mas, assim que o filme começa, fica difícil guardar o lugar se a pessoa que você espera ainda não chegou. Espero que ele não pense que não vim.

Algumas cadeiras dobráveis estão apoiadas umas nas outras, em um carrinho. Não sei se é permitido pegar uma. Eu deveria ir em frente. Se eu levasse uma cadeira até a fileira do Scott, ele poderia trocar de lugar com a pessoa da ponta. Nós ainda poderíamos sentar juntos.

Puxo uma cadeira do carrinho. Antes de perceber o que está acontecendo, todas as outras cadeiras caem e fazem aquele barulho enorme de cadeiras de metal batendo no concreto.

Todos olham para trás.

Todos olham para mim.

Inclusive Scott.

E a garota que está sentada perto dele. Que está tocando seu ombro.

Ele está com ela. Eles estão juntos.

Ele está aqui com outra garota.

Isso vai diretamente para o arquivo "É Claro", porque "é claro que Scott Abrams está aqui com outra garota. É claro que ele não me convidava para sair".

Eu poderia *ser* mais marginalizada?

Depois de me encaminhar para trás da multidão novamente, começo a correr. A três quadras de distância, percebo que ainda carrego a cadeira.

— Uuuhhh! — é tudo que consigo dizer quando April atende.

— Brooke?

— Oi.

— Você está com uma voz estranha.

— É, geralmente fico com a voz estranha depois de ser humilhada na frente do mundo inteiro.

— O que aconteceu?

Eu conto a ela.

— Você tem certeza que Scott estava com ela? — pergunta April.

— Tenho. Ela estava com a mão no ombro dele.

— Isso podia ser...

— Ele estava *com* ela.

— Droga!

— Achei que ele queria sair comigo!

— Quem é ela?

— Como poderia saber? Acabei de chegar aqui.

— Você a viu na escola?

— Não.

— Talvez ela não esteja na sua escola.

— Talvez seja a namorada do Scott.

— Pode ser apenas uma amiga.

— Acho que não.

— Como você sabe?

— Dava para ver.

Não era tão forte quanto "O Saber", mas, quando os vi juntos, imediatamente tive uma sensação desagradável em meu estômago, como se eles estivessem saindo juntos durante todo o verão e eu fosse uma completa idiota de pensar que, algum dia, teria uma chance com ele.

— Eu *não* poderia ter feito um papel mais ridículo. Scott viu tudo. Ah, e roubei uma cadeira!

— O quê?

— Nada. Não acredito que eu esperava que isso pudesse dar certo!

— Você nem sabe o que ele está pensando. Provavelmente está achando engraçado.

— Você acha que é engraçado?

— Hum... talvez um pouco engraçado...

— Isso não é engraçado!

— Eu sei — diz April.

Gostaria tanto que April estivesse aqui. Não estou acostumada a ficar sozinha à noite e estou me sentindo solitária. Papai precisou trabalhar até mais tarde. Hoje de manhã encontrei dinheiro e um bilhete, no balcão da cozinha, dizendo que eu deveria ligar e pedir o que quisesse para jantar. Papai já tinha saído quando acordei. Ele disse que, provavelmente, teria de trabalhar até mais tarde por mais algumas noites, mas era apenas uma "loucura temporária". Algum cliente importante precisa de sua atenção ou algo do gênero. Mas como ele podia trabalhar até mais tarde e nem mesmo vir para casa jantar se acabei de chegar aqui?

Não deveria ter vindo morar com ele. Foi um erro enorme. Estou totalmente sozinha. Não sei onde é nada. Sou uma estranha na escola. Não conheço ninguém (Scott não conta, ele nem me reconheceu no começo). Obviamente penso muito mais nele do que ele em mim. E não acho que isso vá mudar logo. Afinal, como convencer um garoto de que vocês pertencem um ao outro se ele está saindo com outra pessoa?

# 6

**Descobri a melhor cafeteria do mundo.** Chama-se Joe the Art of Coffee e fica apenas a algumas quadras de distância. Em casa, mamãe não me deixava tomar café, mas eu tomava quando April, Candice e eu íamos ao Bean There. Só agora percebi que a coisa no Bean There meramente se fazia passar por café. Joe me mostrou o sabor do verdadeiro café. É extremamente delicioso. Eles até fazem aqueles desenhos circulares, por cima da espuma do leite, que parecem sofisticados enfeites de folhas.

Na primeira vez que vim, me senti intimidada. Os nova-iorquinos têm rotinas completamente arraigadas no dia a dia, e nelas se estabelecem tão firmemente que fazem você querer sair correndo e arrumar logo uma rotina própria. Todos fazem as mesmas coisas, automaticamente, todos os dias. Eu me sinto uma estrangeira, só observando tudo. Por isso, a primeira vez que vim ao Joe foi constrangedor. Não sabia onde ficar depois de fazer o pedido, onde os guardanapos estavam, se devia deixar a caneca na mesa quando acabasse ou colocá-la em uma lixeira em algum lugar.

Mas agora as coisas estão diferentes. Estou bem à vontade. Poderia ficar sentada aqui o dia todo, lendo ou fazendo origami. Até consegui pegar a valorizada mesa perto da janela hoje. Me esforço para amenizar a dor de ter visto Scott com outra garota, bebendo meu café em pequenos goles e lendo um bom livro. É sobre uma mulher que suspeita que seu marido esteja tendo um caso. Gosto de livros com enredos sobre infidelidade ou divórcio. Gosto de me identificar com a história que estou lendo, faz com que me sinta menos sozinha. Todos esses livros sobre pessoas muito felizes são tão cansativos! A vida real não é nem um pouco assim. Os melhores livros, os que me fazem ficar esperançosa, são aqueles em que os problemas das personagens são resolvidos realisticamente no final, e não convenientemente amarrados com um grande laço vermelho. Grandes laços vermelhos são uma enorme mentira.

A pequena campainha acima da porta toca quando uma garota entra. Ela grita:

— Leslie?!

Alguma coisa me faz virar para ver quem é Leslie.

É ela.

A garota de ontem à noite.

A garota do Scott.

Eu queria muito sair dali, muito mesmo, mas acabei de chegar. Não vou desistir da minha valorizada mesa e incomodar o garçom pedindo para colocar meu café em um copo de papel só porque ela está aqui. Estragaria completamente o sofisticado enfeite de folha.

Tento me concentrar em meu livro.

Um garoto me observa. Ele está na outra mesa, perto da janela, do lado oposto do bar. Toda vez que olho, ele volta a olhar para seu *laptop*. Parece um pouco mais velho do que eu, acho que deve estar na faculdade. A New York University fica próxima daqui. Talvez estude lá e venha aqui entre as aulas.

Por fim, a garota que gritou o nome de Leslie sai. Mantenho a cabeça baixa enquanto leio o livro para que Leslie não me note, embora ela provavelmente nem me reconhecerá. Estava escuro lá. Ela só me viu por alguns segundos e, depois, saí correndo. Eu poderia ser qualquer pessoa.

Quando Leslie se levanta para sair, me encolho na cadeira.

— Ei! — diz ela para mim.

O jogo acabou.

— Ei! — digo de volta.

— Você não estava no River Flicks ontem à noite?

— Oi?

— *I Love You, Man*. [Eu te amo, cara!]

— Desculpe...?

— O filme...

— Ah, sim. Não. Quero dizer, dei uma passada para ver o que estavam exibindo, tive de ir embora em seguida.

Leslie olha feio para mim. Um fio de cabelo está colado no *gloss* grudento dos seus lábios.

— Scott me contou que vocês estudaram na mesma escola antes de mudarem para cá — diz ela.

— Ele disse?

— Sim, disse.

Meigo! Isso significa que falou sobre mim ontem à noite. Ele não se virou para assistir ao filme e simplesmente esqueceu que tinha me visto. Na verdade, era isso que eu estava esperando que ele fizesse. Mas assim é tão melhor! Ele falou sobre mim... com a garota com quem estava.

Leslie não está tão empolgada com a revelação.

Ela comenta:

— Só para você saber, nós estamos juntos.

— OK...

— Eu estudo na Eames Academy e, por isso, pode ser que as pessoas da sua escola não saibam que Scott tem namorada, mas ele tem.

Se ela está tentando me impressionar com este papo de Eames Academy, não está funcionando. Nem sei o que é. Estou apenas aliviada por ela não estudar na West Village Community comigo e com Scott.

— O que isso tem a ver comigo? — pergunto.

Leslie dá um sorriso pretensioso.

— Conheci Scott logo que ele se mudou para cá. Estamos juntos há dois meses.

Ela não poderia ser mais insegura. E está muito nervosa.

Recado para si mesma: não fique intimidada por Leslie.

Eu me sento mais reta na cadeira.

— Parabéns! — digo eu. — Tenho certeza que serão muito felizes juntos.

Ela dá mais um sorriso pretensioso.

— É, Scott disse que você era assim.

— Assim como?

— Tipo... brava.

Scott disse que eu era brava? Acho difícil acreditar nisso. Ele nem me conhece! Como saberia como sou?

Jogo o livro na bolsa e me levanto. Um bonito casal, armado com um jornal grosso e um *laptop*, ocupa rapidamente a mesa antes mesmo de eu sair.

Ao passar por Leslie, enquanto caminho para a saída, digo:

— Você deve ter me confundido com outra pessoa.

Só faltava essa! Então sou brava. Você seria também se seu pai tivesse deixado sua mãe por outra mulher.

Foi mais que horrível.

Eu ouvia todas as brigas e conhecia alguns dos motivos. Motivos que gostaria muito de esquecer.

As coisas andavam ruins há algum tempo. Não consigo lembrar quando começou e nunca soube por quê. Tudo que sei é que tinha alguma coisa errada com meus pais.

Quando papai vinha para casa após suas noitadas de pôquer, mamãe o enchia de perguntas. Perguntava quem estava lá, se ele tinha saído para um drinque depois, onde e com quem tinha conversado... Parecia mais um interrogatório do que uma conversa. Quando iam a uma festa ou a algum outro lugar juntos, geralmente brigavam ao chegar em casa. Eles demoravam muito para pagar a babá, depois mamãe começava a reclamar com papai. Acho que presumiam que eu estava dormindo e não os ouvia, mas geralmente estava acordada. E quando chegavam ao quarto deles, eu conseguia ouvir tudo.

Uma briga típica era assim:

Mamãe: "Então... a Marie estava bonita esta noite."

Papai: "Hmm..."

Mamãe: "Você não acha que ela estava bonita?"

Papai: "Na verdade, não reparei."

Mamãe: "O vestido dela deve ter custado uma fortuna. Não estava fantástico?"

Papai: "Estava bom."

Mamãe: "Achei que você disse que não tinha reparado."

Papai: "Vou sair para correr."

Ou assim:

Mamãe: "Com quem o Richard estava conversando?"

Papai: "Com Kelsey."

Mamãe: "Quem é ela?"

Papai: "Ela está trabalhando com o Dan, na conta do Stevens."

Mamãe: "Você a conhece?"

Papai: "Nós já conversamos."

Mamãe: "No trabalho?"

Papai: "Sim, Laura, nós conversamos no trabalho. Eu trabalho com ela. Nós conversamos."

Mamãe: "Você nunca me falou sobre ela."

Papai: "Estou falando agora."

Mamãe: "Só porque perguntei."

Papai: [silêncio de raiva]

Mamãe: "Ela trabalha no seu andar?"

Papai: "Vou sair para correr."

Mesmo sendo nova, eu tinha idade suficiente para entender que as questões de ciúme da mamãe afastaram o papai. Mas, depois que papai se mudou, a mamãe começou a apontar motivos diferentes para a saída dele.

"Seu pai nunca soube o que era preciso para ser um pai decente", ela falava em voz alta. "Ele sempre ficou procurando uma saída, desde o começo. Eu deveria saber que ia acabar assim."

Mamãe me dizia coisas que nunca deveriam ser ditas aos filhos, mesmo que fossem verdadeiras. A princípio, não acreditava nela. Porém, depois de ouvir muitas vezes que papai nos deixou porque preferia ter sua liberdade a ser parte de uma família ou, então, que se ele nos amasse mais, ainda moraria aqui, comecei a pensar que talvez ela estivesse certa. Talvez não fosse inteiramente culpa dela.

Na verdade, sei que não era, porque, antes de nos deixar por uma mulher com quem ele nem está mais, teve aquele lance com minha babá.

Justine era minha amiga. Quando vinha ficar comigo em casa, nunca me senti como se ela estivesse ali só para me vigiar. Era como se realmente quisesse estar comigo. Nós contávamos segredos uma para a outra. Ela me contava coisas de sua vida, importantes como a escolha da faculdade, os garotos com quem saía, como se sentia com a nova vida que se aproximava e esperava por ela após o terceiro ano. Eu sabia que ela partiria logo para a faculdade, mas tinha esperança que ela fosse para algum lugar perto e assim pudesse continuar vindo para minha casa.

Justine era como a irmã mais velha que eu sempre quis.

Uma vez, quando eu tinha 10 anos, Justine estava no andar de baixo esperando que meus pais chegassem. Eu sempre ficava nervosa quando eles voltavam de algum evento social, porque podiam começar a brigar logo que Justine saísse. Decidi descer de mansinho para ver se mamãe parecia brava.

Só que não encontrei mamãe quando desci. Encontrei papai.

E Justine.

Se beijando.

Não sei se mamãe sabia disso. Ela nunca me disse nada. Claro que jamais lhe contei o que vi naquela noite. Sua cota de sofrimento na vida já era suficiente, eu não precisava acrescentar nada mais. Mas, depois daquela noite, Justine nunca mais voltou. Nem mesmo disse adeus.

As pessoas destroem sua confiança e depois partem.

Você nunca consegue conhecer alguém completamente, não importa o quanto ache que conheça. As pessoas sempre omitirão partes de suas vidas. Sempre haverá alguma verdade sobre elas que você nunca saberá.

Ou talvez, algum dia, você conheça a verdade que elas escondem e vai concluir que era melhor nunca ter descoberto.

# 7

**Não atrair a atenção** era muito mais fácil na minha antiga escola. Aqui não tem nenhum lugar para se esconder.

Primeiro, porque as salas são menores: mesmo que me sente na última fileira, ainda fico muito exposta. Os professores se importam mais aqui. Se não prestar atenção, eles vão chamá-la. Se não fizer seu dever de casa, fazem um grande alarde. Até ligam para sua casa se não se comportar direito. Sinceramente, você não consegue fazer uma pausa nem por um segundo, como na aula de cálculo. A senhora Jacobs é insana. Espera que todos estejam prontos para fazer anotações assim que a aula começa e age como se todos devessem prestar atenção às mínimas coisas.

Nada disso é útil quando o garoto por quem você está aqui tem namorada.

Gostaria muito de conseguir pensar em outro assunto. Apenas me concentrar em qualquer outra coisa que não seja o fato de Scott ter uma namorada que não seja eu. Nesta aula de cálculo, a única distração disponível é um conjunto de equações paramétricas.

Tento resolvê-las.

Evitar trabalho em sala de aula era fácil na escola antiga. Sei que cada um sempre diz que sua escola é pior, mas, confie em mim, a minha era a pior de todas. Você podia ficar sem fazer nada e continuar impune porque os professores nunca diziam nada. Eles só davam nota baixa, mas isso não preocupava os alunos. Raramente recolhiam os trabalhos e, quando o faziam, bastava copiar as respostas de alguém.

Muitos professores nem sequer liam o que entregávamos. Na maioria das disciplinas, a nota só dependia da quantidade de trabalhos que fazíamos, não da qualidade. Por isso, não entendo por que as pessoas ficavam realmente surpresas quando percebiam meu desinteresse pela escola.

Quando termino de resolver a última equação, dou uma olhada para a garota perto de mim. Ela ainda resolve as suas, como os outros alunos. Seu nome é Sadie e está usando brincos iguais aos meus, os mesmos arcos prateados, as mesmas listras estreitas pretas. Seu visual é legal. Tem um ar de garota *sexy* e inteligente, cabelos na altura dos ombros, cor de cobre com mechas douradas, olhos castanhos mais interessantes que os meus e óculos de gatinho. Ela é aproximadamente cinco centímetros mais baixa que eu e fica bonita com qualquer roupa. Mas acho que poderia repensar sobre as faixas nos cabelos...

Sadie olha minha folha de exercícios.

— Como você chegou a isso? — sussurra ela.

— O quê?

— Número 5... É impossível!

— Não, não é.

Entrego-lhe a folha de papel para que possa ver melhor.

— Vocês podem fazer perguntas para seus colegas — a senhora Jacobs nos lembra —, mas estamos trabalhando individualmente.

Ela olha direto para mim.

Estou tão pouco acostumada com isso! Professores que têm contato visual comigo me deixam furiosa. Eu costumava desaparecer completamente na sala de aula quando queria. Conseguia ser invisível.

Não mais.

Sadie devolve o papel. Continua admirada:

— Como você chegou a isso?

Jogar o jogo deles é repulsivo: aqui temos uma aluna ajudando outra a resolver um problema insignificante, com o qual nunca terá que lidar na vida real. Não quero explicar como cheguei ao resultado.

Não quero falar com Sadie sobre nada, mas é melhor do que pensar em Scott, que é o que estaria fazendo se estivesse apenas esperando os outros terminarem. Então explico como resolvi o problema.

— Isso é... — Sadie examina a folha de exercícios novamente. — Onde você aprendeu isso que fez na terceira etapa?

— Na minha escola antiga.

— Uau! — ela fica maravilhada. — Sua professora de Matemática devia ser incrível!

— Não exatamente.

Enquanto arrumo minha bolsa após a aula, Sadie diz:

— Você já pensou em ser monitora dos colegas? Vamos começar esta semana e acho que você seria ótima.

— Ah, OK.

— Não, estou falando sério. Quanto tempo você levou para terminar aqueles problemas? As pessoas continuaram resolvendo os delas por mais 15 minutos.

— Eu só queria acabar logo.

— Sim, mas você fez tudo certo. É inacreditável!

É oficial. Definitivamente, passar tranquilamente pelo radar é coisa do passado.

— Nós vamos nos encontrar depois da escola hoje — diz Sadie. — Você pode vir?

— Sem querer ofender, mas não gosto disso.

— Não gosta do quê? De ajudar as pessoas?

Tudo bem, entenda, não tem necessidade de ser indelicada. A garota nem me conhece e já está me ofendendo. Não tenho tempo de me explicar para ela. Claro que gosto de ajudar os outros! Não sou má. Só não vejo motivo para explicar coisas para pessoas que nem desejam estar ali. Se for para ajudar, prefiro fazer isso de um jeito mais interessante.

— A propósito, bonitos brincos! — digo a ela. Depois, pego minha bolsa e me dirijo para a saída, deixando Sadie para trás.

— Tenho de trabalhar até tarde amanhã — avisa papai. — Vou deixar dinheiro para você pedir comida.

— Tudo bem — respondo.

É claro que não está tudo bem. Eu não deveria estar novamente pedindo comida sozinha. Ele deveria dizer que não vai mais trabalhar até tarde porque agora eu estou aqui.

Papai mastiga seu pãozinho de ovo. Desde que cheguei, nesta semana nós jantamos comida chinesa, pizza e hambúrgueres de um lugar chamado Kool Bloo. É divertido pedir comida o tempo todo. É como se eu estivesse dando um tempo da comida real. Ambos sabemos que papai não sabe e eu não gosto de cozinhar, por isso, refeições caseiras logo vão ser apenas uma vaga lembrança.

— Como estava a escola? — pergunta ele.

— Tudo bem.

— O pessoal é legal?

— É.

Na verdade, não reparei em ninguém além de Scott — o que é esquisito, já que sou a garota nova. Eu deveria estar louca para me entrosar e fazer novos amigos, ou para saber com quem me sentarei no almoço, mas não estou. Porque nada disso importa, só vou ficar aqui por um ano. Por que me importaria com o que as pessoas pensam? Além disso, tenho certeza que April e Candice virão me visitar logo. Não que Candice tenha retornado alguma das minhas mensagens, mas ela vai ter que falar comigo um dia. Não consigo entender por que não retorna minhas ligações!

Isso não é bem verdade. Estou com um pressentimento ruim de que ela esteja brava por causa de Scott. Ela me disse que não estava, e acreditei nela. Porém, agora começo a achar que ela não foi sincera comigo.

Reprimo o pressentimento ruim. Não conseguiria, de jeito nenhum, lidar com o fato de Candice estar brava comigo porque gosto de Scott. Isso significaria que não sou uma boa amiga, e eu não conseguiria viver com isso. Talvez ela esteja brava comigo porque abandonei o terceiro ano ou, então, por alguma coisa totalmente diferente. Só espero que o pressentimento ruim esteja errado.

Se eu fosse sincera com papai, diria que meu dia foi totalmente horrível. Scott nem falou comigo na aula. Ele geralmente diz: "Ei!", e nós brincamos um pouco. Mas hoje, nada. É como se estivesse totalmente fechado. Obviamente, Leslie falou alguma coisa para ele. Provavelmente contou que me encontrou por acaso no Joe e que fui grossa, saindo antes que ela terminasse de me humilhar. Ele deve achar que sou uma perseguidora descontrolada, que gosta de tumultuar os cinemas ao ar livre batendo um monte de cadeiras umas nas outras. Não consigo acreditar que Scott disse a ela que sou brava. Não sabia que dava para notar.

Não que eu queira ser brava assim. Aconteceu. Se soubesse como parar de ser brava, eu o faria. O ruim disso é que as pessoas magoam você e, depois, você as deixa continuar magoando ficando brava por terem originalmente magoado você. É um círculo vicioso.

Scott conheceu Leslie há dois meses. Quão sério isso pode ser? Tecnicamente, talvez nem seja namorado dela. Talvez ela acredite que seja mais sério do que na verdade é. As garotas se iludem assim com frequência.

Ou, talvez, eu seja a iludida.

Só tenho que encontrar um jeito de estar mais na vida de Scott. Seria muito mais fácil ele entender que nós pertencemos um ao outro se me conhecesse melhor. Eu deveria escrever, mais tarde, um novo bilhete para minha caixa de desejos. A maioria dos bilhetes da caixa é sobre Scott. Não sei ainda onde vou escondê-la. Por enquanto, está guardada no fundo de uma prateleira, em meu armário.

Papai dá uma olhada nas notícias da TV da sala de estar, da sua cadeira no balcão da cozinha. É como se ele estivesse aqui sem realmente estar.

Eu espeto meu hashi no miojo.

Ele pergunta:

— Você tem tudo que precisa para a escola?

— Tenho.

Então as perguntas param. Apenas continuamos comendo, com papai assistindo às notícias e eu espetando o miojo. É assim que nos evitamos. Quando conversamos, nunca é sobre as coisas que realmente queremos dizer. São apenas conversas superficiais sobre coisas sem importância; "como foi seu dia", por exemplo. Aquelas palavras que as pessoas dizem quando o silêncio fica alto demais.

O telefone toca. Papai se levanta para atender. Seja quem for, suponho que vá dizer que estamos jantando e desligar em seguida, mas ele não faz isso. Papai leva o telefone para a sala de estar, liga o *laptop* e fica lá. Não consigo ouvir direito o que está dizendo. Apenas umas pancadas bravas com as chaves e tons tensos. É óbvio que não vai voltar logo.

Observo sua comida esfriar.

# 8

**Um pequeno pedaço de papel** cor-de-rosa vem parar na minha carteira pouco antes de a aula de cálculo começar. Está dobrado uma vez, com uma carinha sorridente em tinta cintilante roxa.

Não estou surpresa que tenha vindo de Sadie.

— O que é isso? — pergunto para ela. Algo me diz que não é apenas um bilhete normal.

— Abra e veja! — responde Sadie, toda animada.

Então abro. Com uma letra original e arredondada, está escrito:

*Brooke,*
*Precisamos de seu grande cérebro! Por favor, reconsidere!*
*Abraços e beijos,*
*Sadie*

— É um *warm fuzzy*[4] — me informa Sadie.

— Um o quê?

— Nunca ouviu falar de *warm fuzzies*?

— Não, mas tenho certeza de que você vai me esclarecer.

— O objetivo de um *warm fuzzy* é espalhar amor. Se alguém precisar de incentivo ou se você apenas quiser desejar um dia feliz para alguém, um *warm fuzzy* é perfeito. *Warm fuzzies* têm regras: devem

[4] Bilhete caloroso, de amizade ou de amor, que expressa uma mensagem boa para mostrar gratidão a uma pessoa ou a um grupo de pessoas (N. T.).

ser bonitinhos e não podem ser escritos com caneta comum, tampouco em um pedaço de papel normal.

*Warm fuzzies* parecem meio pretensiosos, com suas regras e aspirações.

— E eles são considerados atos aleatórios de gentileza — continua ela.

— Atos aleatórios de gentileza?

— É. Você sabe, fazer coisas para outras pessoas com o objetivo de ajudá-las, porque você deseja que a vida delas fique melhor.

Isso soa altamente suspeito para mim. Não acredito que as pessoas façam qualquer coisa por razões puramente altruístas. Os atos das pessoas são motivados pelos próprios desejos. Cada uma que me desapontou é prova de que não se pode confiar em ninguém.

Dobro novamente o *warm fuzzy*.

— Você pelo menos vai pensar sobre as aulas de monitoria? — suplica Sadie.

Aí o sinal toca e, com a pontualidade militar habitual, a senhora Jacobs começa a aula.

Quando Scott chega à Caixa, ele diz: "Oi!" e até sorri para mim. Fico superaliviada pela estranheza entre nós ter acabado. Talvez ele seja uma dessas pessoas que ficam automaticamente animadas porque é sexta-feira. Sem dúvida, também gosto das sextas-feiras, tanto quanto qualquer outra pessoa, só não fico tentando deixar todo mundo em polvorosa por causa disso.

Scott senta ao meu lado e pega um caderno. Não é seu caderno habitual da Caixa (como todos estão chamando esta aula), um caderno espiral em péssimas condições, com mais ou menos dez páginas restantes. Este caderno é novo em folha. Tem uma capa preta em que está escrito: DUNDER MIFFLIN, INC[5].

[5] Empresa fictícia de venda de papéis da série *The Office*, apresentada na TV nos Estados Unidos (N. T.).

— Fã de *Office*? — pergunto.

Eu sei que a capa está relacionada de alguma forma ao programa porque acabei de ver um anúncio de *The Office* na lateral de um ônibus. Os personagens estavam parados sob uma placa grande em que se podia ler: "Dunder Mifflin".

Scott não ouviu bem:

— O quê?

Aponto para seu caderno.

— Ah, sei. Você também?

— Totalmente.

Por que estou sendo tão mentirosa? Só assisti a dois episódios de *The Office* e nem cheguei ao final. Só algumas partes.

Seu rosto se ilumina.

— Que legal! Não conheço mais ninguém que goste.

É impressionante como um dia pode mudar tão rápido. Até os exercícios ficam divertidos. Estamos resolvendo problemas de lógica que mais parecem um descanso do que, na verdade, um trabalho que vale nota.

Alguém grita:

— Posso beber água?

— O bebedouro está quebrado — responde o senhor Peterson.

— Posso usar o outro?

— Vai demorar muito. Só temos mais 15 minutos e preciso de vocês aqui até o final.

O Garoto Sedento olha para a pia no canto da sala, resquício da antiga enfermaria, que antes era aqui. Aparentemente, ele não está com tanta sede assim para se curvar sob a torneira.

— Posso fazer um copo para você — digo eu.

Pego um pedaço de papel do meu caderno e faço um copo de origami.

— Aqui está. — Estendo o copo para o Garoto Sedento.

— Funciona?

— Sim. Só não demore muito para beber.

Ele enche o copo na pia e bebe a água rapidamente.

— Legal! — diz ele.

— É impressionante! — uma garota do fundo declara. Estou levando uma eternidade para memorizar o nome de todo mundo. Não sei como os professores conseguem fazer isso todos os anos.

Sorrio para meu caderno.

O senhor Peterson está em todos os lugares.

— Que excelente exemplo de pensamento fora da caixa! — anuncia ele. — Foi um jeito sensacional de chegar a uma solução criativa. Muito obrigada à sempre brilhante Brooke!

— A queridinha do professor? — sussurra Scott.

— Não — sussurro de volta.

Foi um dia cheio de acontecimentos na Caixa. Mais cedo, descobrimos o que era limpeza do cérebro quando estávamos fazendo um trabalho de lógica sobre astronomia.

Uma garota falou:

— Pensei que nosso sistema solar tivesse milhões de estrelas.

E o senhor Peterson:

— Nosso sistema solar contém só *uma* estrela! Limpeza do cérebro em ação!

Ele afirma que há um monte de informações errôneas presas em nossos cérebros porque aprendemos coisas incorretas ou porque lembramos delas de um jeito errado.

— Escute com atenção, turma! — diz o senhor Peterson. — Tenho um divertido presente de sexta-feira para vocês: perguntas sobre lógica.

Reclamações ecoam pela classe.

Scott se inclina para frente para falar comigo.

— Cerveja a minha força — resmunga ele.

Eu não tenho ideia do que ele está dizendo.

— Lembra? — pergunta ele. — Jim e Andy?

Uma das poucas coisas que entendi durante os períodos extremamente breves que assisti a *The Office* foi que o bonitinho se chama Jim. Balanço a cabeça e sorrio de volta.

Agora temos um problema. Tenho a impressão de que Scott vai ficar citando coisas do *Office* para me testar. Não posso fingir que sei do que ele está falando para sempre. Mas isso pode ser legal. Se compartilhássemos a mesma paixão por alguma coisa, seria uma forma de estar mais na vida dele, e preciso disso desesperadamente. Só que não gosto daquele programa. Os personagens falam para a câmera. Acho aquilo muito irritante.

Por isso, não estou exatamente empolgada, mas, depois da aula, compro as primeiras três temporadas. É estranho o que o amor nos leva a fazer. Você faz coisas loucas sem perceber. Não começaria a assistir ao programa favorito de alguém, de jeito nenhum, se não fosse por ele. O papai me deu um cartão de crédito para roupas e afins, e vai verificar a fatura todo mês. Posso justificar minha compra dizendo que estão fazendo uma promoção: se comprar três temporadas, ganha uma camiseta. Não que eu queira uma camiseta do *Office*, mas não é preciso que papai saiba disso. Tem um coração na camiseta que diz "JAM", entre Jim e uma garota. Não sei o que quer dizer "Jam". Acho que estou prestes a saber.

Meu plano era descobrir, no fim de semana, onde Scott mora. Pensei em perguntar para ele o endereço exato, mas ia parecer perseguição. Então decidi continuar procurando pela sua rua até encontrá-lo, a menos que chovesse durante dois dias sem parar. Não gosto muito de caminhar na chuva. Acabei ficando em casa o fim de semana todo, fazendo maratona de *Office*.

E agora? Simplesmente adoro *The Office*.

Verdade! Só comecei a assistir à série por causa de Scott, mas, ah, meu Deus, esse programa é tão bom! Aquela coisa da conversa com a câmera é, na verdade, engraçada. Agora que entendi. E a dinâmica do Jim e da Pam? É tudo muito bom. Estou viciada.

Na segunda-feira, visto a camiseta do programa para ir à escola. Estou nervosa, procurando Scott em todos os lugares o dia todo. Eu o vejo de relance no corredor, antes da quinta aula, virando para o outro lado. Meu coração bate mais rápido. Mal posso esperar para que ele veja minha camiseta. A sétima aula leva uma eternidade para terminar.

Scott já está em sua carteira quando chego à classe. Eu ando sem pressa. Ele repara na camiseta e abre um largo sorriso.

Eu falo:

— Só eu estou sentindo ou está um cheiro de *updog*[6] aqui?

— Legal! — Scott fica muito atraente quando está empolgado. A única vez que o vi assim foi quando seu time de lacrosse ganhou o campeonato estadual no ano passado. — Adorei essa!

Conversamos sobre nossos episódios favoritos até a aula começar, fazendo várias citações. É obvio que conquistei totalmente sua simpatia com a camiseta. Eu gosto deste Scott: está interessado no que estou dizendo e é fácil conversar com ele. Não que vamos conversar apenas sobre *The Office* daqui por diante. Apenas gosto de não ter de me preocupar muito com o que vou dizer. Sempre teremos este assunto e, quando houver outras coisas para conversarmos, ficaremos bem mais ligados.

Os momentos de diversão continuam. Hoje vamos trabalhar em duplas, o que significa que posso conversar com Scott durante toda a aula. Estou eufórica. Continuamos conversando até depois da aula e caminhamos juntos para a saída. E aí volto para a Terra.

Leslie está esperando Scott do outro lado da rua.

Ele parece feliz quando a vê.

De repente, parece que nem estou ali.

É triste como um dia pode se deteriorar tão rapidamente!

— Até amanhã! — diz Scott.

[6] É uma brincadeira feita na série *The Office*. *Updog* é uma palavra que não existe e, quando a outra pessoa pergunta "O que é updog?", em inglês: *What's updog?*, acaba perguntando: "Qual o problema, cachorro?" (N. T.).

— OK.

Fingindo que estou esperando alguém, observo enquanto Scott vai ao encontro de Leslie. Sua roupa é incrível. Ela está vestindo uma jaqueta curta, que parece ter custado caro, sobre uma blusa de seda com alças, tipo camisola, que eu queria comprar desesperadamente. Por que ela tem de ser uma dessas garotas que parecem ter saído da *Vogue*? Não quero nem imaginar quanto custou seus jeans!

Espere! Desde quando me importo com essas coisas? Nunca fui insegura quanto ao meu estilo. Na minha escola antiga, os colegas elogiavam minhas roupas e acessórios o tempo todo. Mas aqui as coisas são muito diferentes. Tudo que eu achava que sabia sobre moda na minha cidade não é nada comparado ao que alguns desses jovens usam todos os dias. É surreal. À exceção de algumas poucas peças, estou fascinada.

De repente, me sinto ridícula, parada na calçada e vestindo minha camiseta do programa. E ela nem me serve direito. Como Scott não prestaria mais atenção em Leslie? Ela se destaca, enquanto eu passo despercebida.

Assim que a vida começa a ficar boa, alguma coisa tem que aparecer e estragar tudo.

# 9

**Sadie não parava de me incomodar** para que me tornasse monitora. Não importava que eu não estivesse interessada. A garota não estava nem me ouvindo.

Então aqui estou. Em minha primeira sessão de monitoria. Uma monitora muito esquisita.

Ontem, na aula de cálculo, a senhora Jacobs me pediu para ajudar uma aluna com um dos problemas. Eu não sabia que Sadie estava me observando o tempo todo. Mais tarde, ela chamou minha atenção para o fato de que a garota estava empacada em alguma coisa que era simples demais para mim. Será que eu não conseguia entender o quanto podia ajudar as pessoas?

Acho que Sadie tinha razão. Ela estava tão determinada a me convencer! Enfim, seja o que Deus quiser... Pode ser que explicar coisas não seja tão ruim assim, se isso facilitar a vida de alguém. Conheço bem a sensação de que, talvez, não se sobreviva depois da segunda aula.

O senhor Peterson é o consultor para aulas de monitoria. Antes de começar, precisei fazer um teste de aptidão para ver em qual matéria me destacava. Qualquer que seja ela, será a matéria que darei nas aulas. O teste de aptidão lembrou um pouco aquele teste de QI que fizemos no oitavo ano.

Será que estes resultados serão tão importantes quanto aqueles?

Embora o ano tenha acabado de começar, o centro de monitoria está lotado. Eu, na verdade, gosto daqui. Tem espaço na mesa para todas minhas coisas e as cadeiras são muito confortáveis. O espaço é arejado e, claro, tem grandes claraboias. Encontrar uma sala na escola onde você consiga respirar não é fácil. E, como bônus, *cupcakes*. Sadie trouxe de um lugar chamado Crumbs. Aparentemente, ela é viciada em *cupcakes*.

O senhor Peterson volta com meu teste de aptidão.

— Huh — diz.

Ele fica ali, parado, olhando fixamente para o teste, sem explicar o "huh".

Eu não vou perguntar. Não quero parecer interessada demais. Quando os professores acham que você está interessada em qualquer parte do processo padronizado e massificado de testar /classificar pessoas, eles acreditam que já têm você nas mãos.

O senhor Peterson se senta à minha frente.

— Geralmente — começa ele — os monitores se especializam em uma área. Este teste é muito bom para identificar qual será essa área.

— Você não pode simplesmente nos perguntar que matéria queremos?

— Posso, mas preciso ter certeza de que você sabe a matéria. Às vezes, os professores recomendam certos alunos para determinadas áreas, mas, como você é nova, queria investigar as opções. — Ele olha para o teste novamente. — Esta é a primeira vez que vejo resultados como os seus. Você parece se destacar em... todas as áreas. E muito.

Esta é a parte em que tenho de ficar surpresa? Porque eu já ouvi tudo isso antes. E ainda não me importo.

— Então posso apenas escolher a matéria que quero ensinar?

— Para dizer a verdade, gostaria que você aceitasse ser monitora de todas as matérias. Seria ótimo ter alguém que pudesse ajudar em tudo! Você seria a primeira a fazer isso aqui.

Ainda não entendi o senhor Peterson. Sua aula é ótima, sem violar nenhuma lei federal, mas, mesmo dando uma aula tão diferente, ele ainda faz parte do sistema. A última coisa que quero é me tornar uma rodinha na engrenagem deles. O fato de me oferecer para ensinar não significa que esteja do lado deles. Ainda posso fazer as coisas do meu jeito.

— OK — digo eu.

— Você já ajudou alguém com dificuldade de aprendizado?

— Nunca ajudei ninguém na escola antes.

— Isso está prestes a mudar.

Depois de rever algumas normas de procedimento comigo, o senhor Peterson diz:

— Nós temos alguns alunos com necessidades especiais que precisam de ajuda em todas as matérias. Acho que deveríamos colocá-la para ajudar um deles. Tudo bem?

— Claro.

— Que maravilha! Vou encaminhar John a você. Ele está no terceiro ano também.

Observo o senhor Peterson se aproximar de um garoto que deve ser John. Ele está encostado à parede, usando fones de ouvido e tocando bateria no ar. Ele tira os fones e conversa com o senhor Peterson por um minuto.

John olha para mim. Em seguida, vem correndo.

— Uau! — exclama ele. — Você é minha monitora?

— Você é o John?

— Afirmativo. — Ele estende a mão como se fosse um encontro de negócios. — John Dalton, à sua disposição.

— Desculpe?

— Entendeu? Porque...

— A-ham. Você quer sentar?

John bate na cadeira chique que está na minha frente, desliga o som e pega rapidamente diversos livros e cadernos, tudo com um único movimento frenético. Em sua camiseta, está escrito: BIG GAY ICE CREAM TRUCK[7].

[7] É um trailer que vende comida em Nova York. Conhecido por não ter lugar fixo, posto que é quase impossível conseguir lugar para parar em Nova York. O dono comunica onde está através do Twitter (N. E.).

Tenho a impressão de que os jovens de Nova York são muito mais condescendentes que os da minha cidade. Viver aqui deve ser mais fácil para os *gays*. Esta cidade tem tanta diversidade! Os jovens estão expostos a pessoas e culturas diferentes, o que provavelmente faz com que eles fiquem mais tolerantes. Ninguém se atreveria a usar uma camiseta como a de John na minha escola antiga, mas nesta escola ninguém está nem olhando para John.

— O que é "Big Gay Ice Cream Truck"? — pergunto.

— Você nunca foi ao "Big Gay"? — pergunta, incrédulo.

— Acho que perdi isso.

— Ele é *o cara*! O sujeito usa ingredientes malucos, como bacon, abóbora e picles e até faz os próprios recheios. Muito legal! Geralmente fica na Union Square. Você nunca...

— Acabei de me mudar para cá.

— Ah! Bem, vou levar você, nós vamos, você vai adorar.

— A propósito, sou Brooke.

— Gostei de você, Brooke.

— Obrigada!

— Você deve estar se perguntando por que estou aqui.

— Hum...

— Tenho disgrafia. Já ouviu falar?

Sim, já ouvi falar. Mais precisamente, li sobre o assunto e é por isso que ainda lembro o que é. Muitas coisas que leio ficam em meu cérebro, independentemente da minha vontade.

— Mais ou menos.

— Basicamente, tenho problemas para expressar meus pensamentos com palavras em um papel. É uma pena não podermos simplesmente entregar nossos cérebros em vez da tarefa. Ah, essa é boa!

— Então, acho que podemos...

— ... trabalhar com minhas coisas, sei, sei. Desculpe, falei demais. Não tem desculpa, eu faço isso mesmo. Se você me pedir para calar a boca, não ficarei ofendido.

John é engraçado. Irritante, mas engraçado. Parece que já estamos nos entrosando, contando piadas juntos, do mesmo lado desta guerra acadêmica. Porém, depois de alguns minutos de trabalho, seu senso de humor desaparece.

— Por que pensei que este ano seria diferente? — reclama ele. — Claro que é exatamente como todos os outros. As coisas não ficam melhores só porque você quer que elas fiquem.

— Geralmente, quando você está querendo muito que as coisas mudem, algo acontece para atrapalhar.

— Exatamente! Por que será?

— Quem sabe? Eu apenas coloco no arquivo "É Claro" e fecho a gaveta com força.

— O arquivo... o quê?

Explico.

— Legal — disse John.

Não que eu seja convencida (acredite, não estou me gabando), mas observar John com tanta dificuldade para fazer coisas tão simples é uma revelação. Ajudei pessoas com cálculo, mas aqueles problemas são ridículos. Isso é diferente. É realmente muito difícil para John explicar o que pensa, mesmo em questões fáceis. Nunca tinha visto uma caligrafia igual à dele: sobram uns espaços ao acaso entre as palavras. Sua ortografia precisa ser muito trabalhada e, às vezes, ele mistura letras minúsculas e maiúsculas sem nenhum motivo. O senhor Peterson disse que John trabalha com um especialista na escola, que enfoca seus problemas de escrita. Ele também tem um monitor particular, que trata a disgrafia. Meu trabalho é ajudá-lo a entender sua lição e estudar para as provas.

— Sabe quando eles destroem a máquina de fax no *Office Space*? — pergunta John.

— Nunca assisti ao *Office Space*.

O que é essa fixação dos garotos com séries sobre escritórios?

— Você nunca assistiu ao *Office Space*?! — John diz isso como se estivesse perguntando: "Existe alguma outra série no mundo?".

— Não.

— Como é possível?

Encolho os ombros.

— OK, tem uma cena (que você tem que ver imediatamente) em que o fax está atormentando todo mundo e, então, os caras o arrastam para um campo e batem nele. Eles quebram a máquina com um taco de beisebol, batem nela com força e pedaços voam para todos os lados. Cara, sei exatamente como é isso! Toda essa raiva e frustração é o que sinto todos os dias neste lugar.

É oficial: John é impressionante!

— Como este teste que acabaram de me entregar.

Ele pega um teste com um "32" em vermelho, no alto. Eu nem sabia que eles davam notas tão baixas. Quero dizer, já tirei zero quando não entreguei algum trabalho, mas, mesmo quando faço metade de um trabalho, ainda consigo nota suficiente para passar.

— Quero destruí-lo. Não daria para fazer como fizeram com o fax, porque é apenas um pedaço de papel. Um pedaço de papel do mal. Eu queria ver pedaços de papel de teste quebrados voando, depois de acertá-lo com um taco de beisebol.

— Seria impossível.

— Eu sei, né? Vamos ter de nos conformar em rasgá-lo com estilo.

John rasga seu teste ao meio, dramaticamente.

— Espere! Nós temos que revê-lo.

— Quem disse?

— O senhor Peterson.

— Regra número um da monitoria: jogue fora todas as regras anteriores. Sinceramente, se seguirmos tudo à risca, não conseguiremos terminar nada. Entende o que quero dizer?

Entendo, porque John fala a minha língua.

Pode ser que esta coisa de monitoria não seja tão ruim.

É óbvio que April sabe tudo sobre minha nova conexão com *Office* e Scott, como conquistei sua simpatia, ontem, com minha camiseta, como Leslie estava esperando por ele depois das aulas e como ele pareceu muito feliz quando a viu.

— Será que ele gosta dela? — pergunta April. — As coisas podem mudar.

— Eu gostaria que alguma coisa estivesse realmente acontecendo entre nós.

— Está acontecendo! Vocês têm mais coisas em comum agora. Vocês têm assuntos para conversar.

Desde que me mudei para cá, todas as noites April e eu temos longas conversas. Gosto de fazer outras coisas enquanto falo ao telefone. Neste momento, estou fazendo um unicórnio de origami com o cardápio de entrega que veio com meu jantar. O papai está trabalhando até mais tarde. De novo.

— Se Scott falasse tanto quanto John, tudo estaria resolvido.

— Quem é John?

— Estou dando monitoria para ele.

Explico para April como Sadie ficou me incomodando para eu fazer monitoria e que, por isso, cedi. Conto para ela sobre John. Omito a parte do meu teste de aptidão.

— Interessante — comenta April.

— O quê?

— Nada. É que... nunca pensei que você faria algo assim. É legal!

— Verdade?

— Totalmente! É óbvio que você quer ajudar John. E parece que ele realmente precisa de ajuda.

— Eu nunca teria começado se não fosse Sadie.

April não diz nada.

— E aí... quais as novidades? — digo.

— Adivinha quem me convidou para sair hoje?

— Ah, meu Deus, quem?

— Adivinha!

— Não diga que foi o Chad.

— Não. Robby Miller.

— *Robby Miller*?

— Eu sei! Como isso aconteceu assim, do nada, né?

Robby Miller é o garoto que estava no clube do livro com April no ano passado. Realmente não sei nada sobre ele. Ele é tão quieto, que passa despercebido! Pelo que sei, nunca falou com April antes.

— Você gosta mesmo de Robby Miller? — pergunto.

— Nunca pensei nele antes. É bonitinho... Eu acho.

— Acho que deve ir em frente. Você está sempre dizendo que quer um namorado antes de se formar. Pode ser sua única chance.

— Obrigada!

— Não por sua causa, mas você está rodeada de babacas. Nenhum deles é digno.

— Exceto Robby Miller?

— Possivelmente. Com certeza, vale a pena investigar.

— Vou mantê-la informada.

— Ei, ainda não tive notícias de Candice. O que está acontecendo?

April fica quieta. Ao fundo, consigo ouvir pessoas gritando e um carro buzinando.

— Onde você está? — pergunto.

— Do lado de fora do Bean There.

— Ah, encontrei uma cafeteria incrível no meu bairro. Chama-se Joe the Art of Coffee. O café deles é outro nível. É muito melhor que o do Bean There. Temos de ir lá quando você vier me visitar.

— Não vou me esquecer disso.

— Candice está bem?

— Você mesma pode perguntar para ela. Ela acabou de chegar.

Escuto vagamente Candice perguntando quem está ao telefone. April diz que sou eu.

— Olá — diz Candice.

— Finalmente! — grito. — Eu estava morrendo de vontade de falar com você. Você não recebeu meus recados?

— E suas mensagens de texto e e-mails, sim.

— Então por que não me ligou?

— Sinceramente?

A voz de Candice soa gelada.

Ouvir sua voz assim faz com que o pressentimento ruim volte, mas ainda me agarro à esperança de que não seja por causa de Scott.

— Qual é o problema? — digo.

— Qual é o problema? Como pode não saber?

— Hum...

— Você sabia que eu gostava de Scott. Você não só tentou ficar com ele como também foi atrás dele em Nova York!

Droga! O pressentimento ruim estava certo.

Veja bem, eu não entendo: como Candice pode ficar brava assim comigo só porque gosto de Scott? Quando ela gostava dele, há dois anos, era transparente. Não que quisesse demonstrar, mas seus hormônios a deixaram fora de controle. Todo mundo notava que ela gostava dele. Todas as vezes que ela o via, ficava vermelha, olhando fixamente para ele e seu jeito de conversar e agir mudava sempre que Scott estava por perto. Todos os sinais clássicos de paixonite estavam ali, e todos sabiam.

A questão é: Scott não gostava de Candice. Alguém acabou contando para Scott que ela gostava dele e, depois disso, ele a evitava completamente. Obviamente, ele tentava desapontá-la aos poucos.

Eu não podia simplesmente me mudar para Nova York sem dizer o motivo para Candice, sobretudo porque ela também sabia que Scott estava se mudando para cá. Então disse a ela que comecei a gostar dele antes dela, mas me contive porque sabia que Candice gostava dele também. Ela não pareceu nem um pouco brava com isso. Até me ajudou a fazer as malas.

— Mas você gostava dele dois anos atrás! — eu a lembro.

— E daí? — Candice se irrita. — Você sabia que eu gostava dele. Quem corre atrás de um garoto de quem sua amiga gosta?

— Não sabia que você estava brava com isso. Por que você não disse nada quando contei por que estava me mudando?

— Porque eu estava tentando ser uma boa amiga! Mas aí você partiu, e era verdade, e agora vocês dois... Por que você se mudou? Você realmente achou que, de repente, Scott iria reparar em você depois de todo esse tempo?

Ouvir Candice falar comigo assim faz a culpa que eu sentia desaparecer imediatamente. Ela obviamente não entende o quanto Scott é importante para mim. E, sinceramente, duvido que possa fazê-la entender.

— Fale sobre lógica distorcida — resmunga ela.

— Eu não achei que isso era um problema — explico. — Você gostou dele há muito tempo. Ele não gostava de você. Fim da história.

— Só tem uma coisa: o mundo é complicado e cheio de incertezas. Você deveria tentar ter mais compaixão de vez em quando.

— E você deveria tentar apoiar os amigos. Deixei de fazer o terceiro ano com vocês porque isso significa muito para mim. Por que você não consegue entender isso?

— Ah, desculpe! Tenho dificuldade para apoiar amigos que mentem para mim.

— Quando eu menti?

— Você não me disse que gostava de Scott. É a mesma coisa que mentir.

— Eu lhe contei antes de me mudar.

— Isso não adianta. Você gosta de Scott há bastante tempo e nunca me contou!

— Porque eu sabia que você gostava dele!

— Então, como acha que me sinto sabendo que você foi atrás dele em Nova York?

— Não... desculpe, não posso proteger seus sentimentos para sempre. Tenho que viver minha vida.

— Vá vivê-la então — diz Candice.

E desliga.

# 10

**Eu gosto daqui, do jardim zen.** Não tem nenhuma placa ou algo parecido dizendo que é um jardim zen. É só a impressão que dá. Gosto da grama alta, dos bancos minimalistas de madeira, das pedras para atravessar o riacho. Gosto da forma como o jardim fica isolado, no meio de tudo, enquanto a vida se apressa nas ruas, por todos os lados. Sentada aqui, no silêncio, penso em todos da minha cidade.

Depois que Candice desligou o telefone, ontem à noite, me senti sozinha. Mais tarde, April mandou uma mensagem de texto para dizer que não preciso me preocupar e que Candice vai se recuperar. Não estou convencida, ela nunca ficou brava assim antes. Eu realmente espero que April esteja certa, porque elas são as únicas amigas que tenho. Acho que posso contar Sadie como uma nova amiga, mas não é a mesma coisa. Nós não compartilhamos uma história. Eu não tinha ideia do quanto isso era importante até o dia que deixei tudo para trás.

Tudo é tão diferente aqui! Você não consegue acreditar no tanto de lojas que existe em uma quadra. Logo que cheguei, fiquei parada na rua Bleecker, assombrada com a abundância. Você pode comprar o que quiser a apenas algumas quadras da sua casa. É demais! E ninguém vai de carro para lugar nenhum. Os nova-iorquinos pegam metrô ou andam de ônibus. Eles caminham muito. Desde que cheguei aqui, basicamente ando para todos os lugares, o que é uma mudança radical. Se você caminhasse na minha cidade, as pessoas perguntariam o que tinha acontecido com seu carro, mas aqui é normal. Nas ruas, as pessoas passam por você caminhando extraordinariamente rápido, geralmente sem nem notá-lo, o que, para mim, é ótimo. Aprecio o anonimato. É muito bom poder ser qualquer pessoa, não precisar ser eu mesma quando estou cansada de mim.

Mas, ao mesmo tempo, é meio solitário. Papai raramente está em casa, e não conheço ninguém na escola. As coisas com Scott não estão do jeito que eu esperava. Sinto falta de minha mãe. Desde que parti, conversamos algumas vezes, mas não é a mesma coisa. Apesar de não nos relacionarmos muito bem, tê-la em casa todos os dias era importante. Ver meus amigos todos os dias era importante. Sinto muita falta de April e Candice, sinto falta das coisas que costumávamos fazer.

Acabaram-se os passeios no carro novo de April, cantando mais alto que a música.

Acabaram-se os encontros com as amigas no Bean There, depois da aula, e as risadas por qualquer coisa.

Acabaram-se as brincadeiras com os garotos, na praia, durante todo o verão.

Pego meu celular e ligo para April.

— Você se lembra daquele garoto da praia que sempre colocava protetor solar azul no nariz?

— Quem?

— O garoto de nariz azul. Qual era o nome dele mesmo?

— Eu nem sei de quem você está falando.

— Você sabe, sim! Ele derrubou bolo na sua toalha.

— Ah! — a voz de April some lentamente, como se estivesse afastando o telefone. — Estou me lembrando.

— Você está ocupada? Posso ligar mais tarde.

— Não, tenho tarefas demais. Mais tarde não é uma boa opção.

Então fica um silêncio constrangedor. Aqui no jardim zen, a grama alta estala com a brisa. O que será que está acontecendo ao redor de April? Eu gostaria de estar em dois lugares ao mesmo tempo. Tenho de deixar minha vida antiga para trás completamente só porque me mudei?

— E aí, como foi com Robby Miller? — pergunto.

— Nada, por enquanto. Ainda estou decidindo o que direi.

— Mas você quer sair com ele, certo?

April suspira. Reconheço esse suspiro. É assim que ela faz quando se sente arrasada.

— Não sei — responde.

— Você está bem?

— Sim. Só estou... cansada.

Há algo de errado. April e eu sempre conseguimos conversar, mesmo quando, na verdade, não temos nada para falar. Eu estava esperando uma de nossas sessões divertidas de fofocas para melhorar meu humor, mas parece que April não quer conversar sobre qualquer coisa divertida. Aliás, parece que ela não quer conversar sobre nada.

Candice já mudou. Será que April vai fazer a mesma coisa?

— Preciso desligar — diz April. — Me liga amanhã?

— Você quer que eu ligue?

— Claro! Continuamos juntas, é que... desculpe, estou sendo antissocial. É só cansaço...

— OK. Converso com você amanhã.

Não tenho certeza se acredito no cansaço de April. Seja lá o que for que esteja acontecendo com ela, uma coisa está clara: os dias de compartilhar minha vida com os únicos bons amigos que conheço acabaram. Está na hora de criar uma nova vida sozinha.

A garota que antes estava aqui desenhando está de volta. Ela olha para cima, sentada no mesmo banco que eu estava da última vez. Tento descobrir o que ela está olhando. A lua está enorme e brilhante.

Algumas pessoas correm na pista entre nós. Foi nela que eu e papai caminhamos juntos, no primeiro domingo em que passei aqui. Ele disse que precisava voltar a correr e, como também gosto de correr, vamos correr juntos todos os domingos. Vai ser algo só nosso. É legal que, em apenas duas semanas, já temos uma coisa só da gente, mas, no domingo passado, não conseguimos correr por causa da chuva.

— Ei, Brooke! — uma garota grita, correndo na pista.

Eu a reconheço da escola, porém não lembro seu nome. Aceno para ela.

A garota do banco olha. Sinto uma espécie de choque interno quando fazemos contato visual. Nas ruas daqui são muitas as pessoas que passam com pressa, olhando para qualquer lugar, exceto para você! Pessoas correndo enquanto passeiam com seus cachorros ou seguram suas xícaras de café ou, ainda, enquanto falam em línguas diferentes, pelos celulares, com os amigos. Não sei por que estão todos tão apressados. Quando alguém olha para mim de relance, geralmente vira para o outro lado se nossos olhos se encontram. É quase como se houvesse uma regra que dissesse que não é permitido ter contato visual com ninguém por mais de dois segundos.

Olhar para alguém e realmente receber um olhar de volta causa impacto. Ao contrário dos outros nova-iorquinos que encontrei, esta garota não olha imediatamente para o outro lado. Ela sorri com olhos amigáveis e, depois, volta a desenhar.

Talvez seja porque estou solitária ou tenha alguma coisa nessa garota com a qual eu já esteja me relacionando em um nível subconsciente. Qualquer que seja o motivo, quero conversar com ela. Vou até lá e sento no banco perto do dela.

— Ei! — diz ela. — Você estuda no Eames?

— Não.

— Ah, pensei que tinha reconhecido você! Sou Rhiannon, mas todos me chamam de Ree.

— Sou Brooke.

— Sei. É o nome da minha irmã.

Agora que estou mais perto, posso ver a lua cinza-escura sendo feita em seu bloco de desenhos. A lua de Ree tem todas as crateras detalhadas que não consigo ver nem quando olho para a lua verdadeira.

— Você é muito boa — digo eu.

— Obrigada! Isso me ajuda a relaxar.

— O origami faz o mesmo por mim.

Nunca conversei tanto assim com alguém que não conheço. Posso sentir um tipo de magia acontecendo. É como se a energia da cidade pudesse tornar qualquer coisa possível.

— Você mora por aqui? — pergunta Ree.

— Sim, na Perry Street.

— Ah, legal. Eu moro na West $11^{th}$.

Ela mora na rua de Scott. Esta vai para o arquivo "É Claro". Talvez ela o tenha visto por ali, pode ser que até saiba onde ele mora. Mas não seria esquisito perguntar sobre um garoto, quando acabamos de nos conhecer?

— Acabei de me mudar para cá — conto eu.

— De onde?

— New Jersey.

A linha do horizonte da cidade de Jersey brilha à noite. Adoro seu reflexo cintilante na água. Tento olhar exatamente na direção de minha cidade, em algum lugar atrás dessa linha de luz que brilha suavemente, mas não consigo indicar ao certo onde ela está.

Sinto uma pontinha de inveja de Ree, com suas calorosas habilidades sociais e seu jeito de Garota dos Luminosos da Cidade. Ela teve todos esses anos para absorver esta energia que desejo profundamente. Estar aqui é um hábito para ela. Talvez nem dê valor a isso. Ou será que aprecia estar aqui tanto quanto eu?

— E o que você está achando até agora? — ela quis saber.

— É bom. Sempre quis morar aqui. Moro com meu pai.

— Deve ser legal tê-lo por perto.

— Não sei. Ele nunca está em casa.

Aconteceu novamente hoje à noite. Papai não ligou nem deixou um bilhete dessa vez. Esta coisa de trabalhar até tarde é obviamente uma condição permanente. Ele tentou ficar mais por aqui quando cheguei, mas depois rapidamente retomou sua rotina. Isto faz que me sinta como se nem estivesse aqui, como se ele não estivesse tentando me incluir em sua vida, como disse querer.

— Meu pai faz a mesma coisa — diz Ree. — Seu pai trabalha em um banco de investimentos?

— Como você sabe?

— Eles são todos iguais!

Acho que sua vida não é tão animada quanto pensei. Nossos pais nos ignoram, mas espero que seu pai não tenha feito as coisas horríveis que o meu fez.

Quando chego em casa, papai mal tira os olhos do *laptop*.

— E aí, filhota? — diz ele, como se estivesse tudo certo. — Como estava a escola?

— Tudo bem.

— Que bom.

E só. Ele simplesmente volta a olhar para o *laptop*. Nenhum pedido de desculpa por não ter me avisado que ia trabalhar até tarde novamente.

É realmente irritante como ele pode mudar meu humor, de calma para furiosa, em dois segundos.

Passo por ele rapidamente a caminho do banheiro. Jogo as roupas na cesta e visto meu robe. Tento manter a raiva sob controle enquanto tiro as lentes de contato. Uma delas quase parte ao meio. Depois lavo o rosto. Tento me lembrar da tranquilidade do jardim zen e ter pensamentos relaxantes. Estou cheia de fúria. Talvez seja melhor dormir cedo e esquecer.

Não consigo. Como saí muito cedo, sem comer nada, agora estou com muita fome. E me deparo com um problema na cozinha: estou com muita vontade de comer cereal, mas não tem leite. O que estou com mais vontade ainda é de uma comida caseira. Sentir saudade da comida da mamãe é a última coisa que esperava, mas aconteceu. Pedir comida foi divertido por um tempo, agora é meio triste.

Estou louca por uma tigela de Froot Loops[8]. Se eu não for correndo até a *delicatessen* comprar leite, meu desejo vai aumentar ainda mais. Por isso, coloco os óculos, faço um rabo de cavalo nos cabelos e visto minha calça de moletom velha, com a camiseta do programa *Late Night with David Letterman*. Nem me preocupo em passar maquiagem.

Toda noite saio pelo bairro esperando encontrar Scott. Já andei para cima e para baixo na rua onde mora tantas vezes que conheço os prédios melhor do que eu conhecia os da minha antiga rua. Mas nunca saio para procurar Scott sem me preparar. Antes de sair, geralmente experimento pelo menos cinco roupas diferentes. Olho no espelho um monte de vezes. A possibilidade de encontrá-lo é sempre tão emocionante! Depois de sentar ao lado de Scott na aula, esta é a melhor parte do dia.

Mas, esta noite, tudo o que quero fazer é comprar leite e voltar para casa, comer cereal e dormir. Não penso sobre o que estou vestindo nem sobre a minha aparência.

Então, é claro que encontro Scott.

Estou acabando de sair da *delicatessen* quando acontece. É meio difícil não vê-lo, já que esbarro nele.

— Ei! — diz ele.

Consigo segurar a sacola um segundo antes de o leite cair. Não olho para cima. Não posso ver Scott agora. Mais precisamente, Scott não pode me ver agora. Eu não poderia estar mais mal-arrumada.

— Hum... — focalizo a calçada. — Ei! — eu digo para um carro que está passando.

— Indo para casa?

— É, só vim... correndo buscar uma coisa.

— Legal.

— E você?

[8] Cereal matinal (N. T.).

— Acabei de chegar do boliche. Eu sei, parece difícil de acreditar. É que não tem nenhum time de lacrosse aqui, então precisei ser criativo.

— Isso faz com que você tenha saudade de lá?

— Não exatamente. — Scott olha para minha sacola da *delicatessen*. — Está com fome? Vou comprar um sanduíche, encontrei um lugar fenomenal.

— Não sabia que sanduíches podiam ser fenomenais.

— Está brincando? Sanduíche é a melhor coisa do mundo!

Mesmo que eu esteja parecendo alguma coisa que veio rastejando pela sarjeta, Scott não parece enojado.

— E aí — pergunta ele —, você está dentro?

— Depende. Você se incomoda se eu passar em casa bem rápido? Eu não estou... — aponto em direção aos meus óculos e à calça de moletom — exatamente apresentável.

— Para mim, você está bem — diz Scott. Ele olha direto para mim quando fala isso.

Isto.

Está.

Acontecendo.

Nós caminhamos até meu apartamento. Tento não ficar emocionada com o fato de Scott Abrams estar caminhando comigo nesta cidade totalmente nova para onde eu vim atrás dele. Corro para o andar de cima e começo o trabalho de reconstrução mais rápido que nunca. Não sei se posso ficar muito melhor em apenas cinco minutos, mas ao menos estou suficientemente apresentável para um sanduíche fenomenal.

Quando estou saindo, papai olha para mim e pergunta:

— Saindo de novo?

— Não vou demorar. Encontrei um amigo da escola por acaso.

— Aonde vocês vão?

— Descendo a rua. Vamos comer um sanduíche.

Papai já se voltou para o *laptop*.

— Divirtam-se! Não até muito tarde, hein?

— OK — concordo, mesmo sem saber o que é "muito tarde".

Pulamos essa parte das regras do nosso acordo quando me mudei para cá. Aparentemente, quando tantas outras coisas não estão sendo ditas, muitas informações básicas são deixadas de lado.

— Pronta? — pergunta Scott, quando saio.

— Morrendo de fome.

Ele está certo sobre a lanchonete. Meu sanduíche de bacon, tomate e alface, com bacon extra, é delicioso. O clube-sanduíche do Scott é enorme. É tão grande que não sei como não se desfaz.

— Este deve ser o maior sanduíche do mundo! — exclamo. — Existe alguma coisa que não tenha dentro dele?

— Batata *chips*.

— Ah!

— E cereal.

Claro que ele disse "cereal"!

— Você ficou sabendo sobre aquele cara que deslocou a mandíbula ao morder um sanduíche enorme? — pergunto.

— Não.

— É, na Georgia. Eles até fizeram uma homenagem a ele, dando seu nome ao sanduíche.

— Aposto que os sanduíches daqui são ainda maiores.

— Este lugar é impressionante.

— Eu sei. Não é bom ter mais opções que a loja de conveniência Gas'n'Sip?

É verdade. Na minha cidade, nunca tinha nada para fazer. Todos os lugares fechavam cedo. Aqui as possibilidades são intermináveis. Gosto de saber que não sou a única que fica impressionada com o fato de uma lanchonete estar aberta até tarde. Saber que posso ver um filme à meia-noite, filme independente, mas de qualidade, me deixa muito satisfeita. Ou ver as ruas cheias às duas da manhã (não que eu esteja na rua até tão tarde). Deixo minha janela aberta para poder ouvir as pessoas do lado de fora. Adoro barulho de rua. Os sons do tráfego me tranquilizam para dormir.

— E aí, você já se adaptou ao West Village Community? — pergunta Scott, tentando ser engraçadinho.

— Um pouco.

— Você não está dando monitoria?

— Como você sabe?

— Leslie me contou. Ela é amiga de uma garota que também está participando desse programa e que conhece Sadie.

— Ah! — Não sei o que é mais perturbador: Leslie saber sobre meus assuntos pessoais ou o fato de ter contado para Scott. Quero perguntar se ele está saindo com ela, mas é óbvio que sim.

— Ela me contou que vocês se encontraram por acaso em uma cafeteria...

OK, isso é estranho. Por que ela está contando tudo isso para ele?

— É — digo eu —, mais ou menos.

— Legal dar monitoria. Pelo menos você tem objetivos. Eu não tenho ideia para onde minha vida está indo.

— Nem eu.

— Verdade?

— Por quê? Parece que eu sei?

Scott faz que sim com a cabeça.

— Você age como se estivesse tudo planejado.

— É — falo eu, expressando raiva. — Eu gostaria muito de saber o que quero ser. É tão irritante como as pessoas me perguntam isso toda hora!

— Exatamente! Como se fôssemos automaticamente obrigados a saber o que vamos fazer durante o resto das nossas vidas. Acho que perdi o memorando a respeito disso.

Scott termina a primeira metade do sanduíche. Olho para seus braços. As mangas estão dobradas até o cotovelo. Seus braços ainda estão bronzeados do verão, tonificados e com pelos clareados pelo sol.

Eu não sei o que é, mas fico meio hipnotizada com algumas partes do seu corpo.

Recado para si mesma: pare de ficar olhando para os braços de Scott.

— Estou feliz por você estar aqui — diz ele.

Será que ele quer dizer aqui na lanchonete? Ou aqui em Nova York?

— Eu também — falo, ruborizando. Nunca fico vermelha. Esse é o poder que ele tem sobre mim.

— Ser transferido para uma nova escola no terceiro ano é horrível! Por que meu pai não esperou até que eu começasse a faculdade?

— Pensei que você tivesse dito que ele precisou mudar por causa do trabalho.

— É, mas acho que tinha a opção de escolher quando ia fazer isso. Ele achou que agora seria melhor para todo mundo.

— Exceto para você.

— Exatamente.

Será que deveria contar para ele? É a primeira vez que ficamos a sós assim. Pode ser que eu não tenha outra chance. Leslie poderia cravar suas garras mais profundamente ainda e aí será impossível. Mas e se ele ficar totalmente furioso porque me mudei para cá por ele? Quero dizer, quem faz isso? Seria muito arriscado. Parece que estamos ficando mais próximos. Se o afugentar, posso arruinar minhas chances para sempre.

Conversamos noite adentro. Eu sonhei estar assim com Scott tantas vezes, escrevendo bilhetes sobre ele para a minha caixa de desejos, inventando maneiras de fazê-lo reparar em mim! Agora esta noite chegou. É real. E estou com um pressentimento que é apenas o começo.

# 11

— **Vamos ao High Line!** — exclama John, com muito mais empolgação do que posso suportar neste momento. A combinação da tentativa de vencer, do meu jeito, as dificuldades da estrutura social de uma nova escola (na verdade, ser obrigada a mostrar resultados) com ficar acordada até muito tarde resultou em uma catastrófica queda de energia. Depois de me divertir na lanchonete com Scott ontem à noite, havia tanta adrenalina correndo pelo corpo que levei uma eternidade para adormecer. Mal tive forças para me arrastar até a monitoria hoje. Eu queria desesperadamente ir para casa depois da aula e tirar um cochilo, mas Sadie não me deixaria impune de jeito nenhum.

— Está na hora da nossa aula — lembro a John. — Na hora de você ser ensinado. Você pegou de volta aquele teste de trigonometria?

— Cara, exatamente *porque* está na hora da aula é que temos de sair daqui! Novamente, qual é a primeira regra da monitoria?

— Jogue fora todas as regras anteriores.

— Sim! Quem disse que temos de ficar aqui dentro o tempo todo?

— O senhor Peterson.

— O senhor Peterson também disse que poderíamos trabalhar em outro lugar se estivéssemos dispostos.

— Verdade? Ele não me disse isso.

— Vá perguntar, se não acredita em mim.

John se recosta na cadeira, coloca um fone de ouvido e liga o som. Sua expressão diz: "Vou esperar!".

Encontro o senhor Peterson. Ele confirma que a aula pode ser em outro lugar, desde que o trabalho seja feito de verdade. Ele está contando comigo para isso.

— Podemos ir — informo a John.

— Como eu disse! Por que nós íamos querer ficar aqui dentro? Logo estará frio demais para sair e seria um absurdo desperdiçar um dia tão perfeito para um passeio no High Line.

— Só uma pergunta.

— Manda.

— O que é o High Line?

John se recosta na cadeira com tanta força que acho que ela vai tombar. Ele derruba o iPod, e o fone de ouvido sai da orelha.

— "O que é o High Line?" — respira ele, completamente incrédulo.

— Eu sou nova aqui, lembra?

John levanta a mão como quem diz: "Me dê um minuto". Ele se esforça para recuperar a compostura.

— Explico no caminho — responde.

Enquanto caminhamos no sentido noroeste (ou "subimos até o outro lado", como John descreveu), ele me conta tudo sobre o High Line. É um parque, mas costumava ser uma antiga bifurcação de trilhos de trem elevados, que não é usada há muito tempo. Os trilhos ainda estão lá, só que agora árvores e flores crescem ao redor deles. Eles instalaram confortáveis cadeiras de madeira, que se movem ao longo dos trilhos, e uma área com arquibancadas de onde você pode observar a rua lá embaixo através de uma parede de vidro. John sabe até que tipo de madeira usaram: chama-se ipê e foi retirada de uma floresta sustentável.

— Parece incrível — comento eu.

— Olhe para cima — diz John.

Há uma estrutura industrial de metal alguns andares acima da Gansevoort Street. Olhando daqui, já é impressionante. Também estou impressionada com a interseção triangular que estamos atravessando.

— Espere! — digo eu. — Estou reconhecendo este lugar.

Olho para baixo, para a Gansevoort Street, com paralelepípedos se estendendo ao longe. O rio brilha no horizonte. Nós estamos bem ao lado de uma fachada de loja que, por alguma razão, acho que foi uma floricultura no passado. Lewis King of Plants, Gansevoort Street, 12½. Estou me lembrando de tudo agora. Uma cena de *Rosas da Sedução* foi filmada aqui. É um filme dos anos 1990, em que dois nova-iorquinos típicos (isto é, pessoas solitárias com bagagem) se encontram. Eu assisti a esse filme há muito tempo, mas é claro que me lembro de todos os detalhes.

John pergunta:

— Como?

— Este lugar foi uma floricultura em um filme. Não posso acreditar.

— É. Muitos filmes são feitos por aqui.

— Que legal!

— Muito. Cara, adoro como você fica entusiasmada com isso. Todas as outras pessoas são tão apáticas! Eles estão sempre se gabando, dizendo que já estiveram em determinado lugar ou que já fizeram alguma coisa quando tinham 7 anos. Você fala para eles sobre o High Line e eles dizem: "Quem se importa com alguns velhos trilhos de trem?". É trágico!

Subimos a escada até o High Line. É um espaço incrível, impressionante. É como se aqui em cima fosse outro mundo, um andar secreto na cidade por onde você poderia passar bem perto e nunca notar. A vista, os trilhos de trem e todas as diferentes flores e árvores... Simplesmente surpreendente!

John me mostra algumas coisas muito interessantes. Esqueço completamente da monitoria. Ele chama minha atenção para a leve iluminação, à altura da nossa cintura ou até mais baixa, para reduzir o excesso de luz. Explica que a vegetação é nativa da área, originada de plantas cultivadas naquele local. Ele me mostra as luzes vermelhas no alto dos postes de iluminação, que, no passado, eram usadas para avisar os bombeiros.

— Como você sabe tudo isso? — pergunto.

— Pesquisa. Não é o máximo?

Concordo que é o máximo.

O que também chama minha atenção são os apartamentos de alto nível, bem ao lado do High Line. Algumas janelas estão voltadas diretamente para nós. Deve ser esquisito ver seu espaço privado se tornar tão público. Logo que me mudei para cá, achava engraçado as pessoas deixarem as cortinas abertas à noite. Agora entendo perfeitamente. Se eu morasse em algum desses lugares, não ia querer nada bloqueando minha vista. Especialmente se estivesse em um andar alto. A vista deve ser demais!

É muito mágico aqui em cima. O ar é frio e seco. As folhas das árvores estalam com a brisa. Meu coração está feliz.

Sentamos em um banco enorme, feito de uma madeira magnífica. John pega seu trabalho. Nós conseguimos nos concentrar por aproximadamente 20 segundos. Então John diz:

— Olhe aquela caixa-d'água elevada!

Sempre gostei de telhados, mas nunca reparei em caixas-d'água elevadas antes. Acho que, em Nova York, existem muito mais caixas-d'água elevadas do que em New Jersey, porque, de repente, elas estão em todos os lugares.

— Qual delas? — pergunto.

— Aquela, bem ali — aponta ele.

— Você quer dizer aquela estreita?

— Não, a grossa.

— A grossa é enorme! Está monopolizando o telhado inteiro.

— Esta é sua prerrogativa. Olha como ela é imponente.

— Gosto mais da estreita. Ela tem bordas enfeitadas e uma tampa triangular muito legal.

John aperta os olhos para ver a estreita.

— Ah, é mesmo. Que legal! Mas não tão legal quanto a grossa.

— É também.

— Você sabe que estou certo. Você está do meu lado.

— Não estou.

— Está sim.

— Não.

John fica em silêncio. E depois:

— *Então* está.

Nós realmente temos de fazer nosso trabalho. Só que, antes, precisamos fazer um inventário de todas as caixas-d'água elevadas visíveis. Deste local estratégico, dá para ver tudo. Consigo enxergar New Jersey melhor que em qualquer outro lugar, mas ainda não consigo saber qual é a direção correta.

Para evitar que o senhor Peterson me mate, ficamos até mais tarde fazendo nosso dever. Quando acabamos, o sol já estava se pondo atrás do rio. Nem me ocorreu assistir ao pôr do sol desde que me mudei para cá, já que o horizonte está sempre bloqueado por prédios. Mas não aqui em cima. Aqui em cima é outra dimensão.

— Aha! — John aponta para a caixa-d'água elevada, com a torre mais grossa. — Entende por que a mais grossa reina?

Ele tem razão. Ela está refletindo o pôr do sol, irradiando vermelho e rosa.

— É impressionante o que você vê quando olha para cima — diz ele. — Sempre olhe para cima!

— "Sempre olhe para cima!". Adoro isso.

Por quantos prédios eu passei sem reparar nos detalhes das decorações, ou nos jardins dos telhados, ou nos apartamentos de cobertura que você consegue ver o interior completamente? É como se eu estivesse focalizando apenas metade do que está aqui. Prometo que vou olhar mais para cima.

— Vamos fazer uma resolução de equinócio do outono — diz John.

— O que é isso?

— É uma coisa que acabei de inventar.

— Legal.

— Bem, então, nós temos que... OK, funciona assim: amanhã é o primeiro dia do outono, existe um tipo diferente de energia quando começa uma nova estação, você sabia? Por isso, vamos usar um pouco dessa energia para nos renovar.

Eu não fazia ideia de que garotos podiam ser como John. Quero dizer, talvez em livros e filmes, mas não na vida real.

— Nós vamos fazer uma resolução — anuncia ele para o pôr do sol. — Por que devemos esperar o ano-novo para fazer resoluções? Podemos melhorar as coisas a hora que quisermos. Uma resolução de equinócio do outono, esta é a melhor! OK, o que você quer que aconteça neste outono?

O que eu quero que aconteça é obvio. Só que é uma coisa que não posso compartilhar com John. Se algum dia ele descobrir que segui um garoto até aqui, vai me achar ridícula. Não que eu não seja ridícula. Só não quero que John saiba disso.

— Humm... primeiro você.

John fecha os olhos. Ele fica imóvel. Eu não sabia que ele era capaz de ficar imóvel.

— Sua vez — diz ele.

— Nós não vamos falar em voz alta?

— Podemos da próxima vez, se você quiser.

É um tanto quanto presunçoso da parte dele supor que haverá uma próxima vez, mas acho que faz sentido. Eu terei de dar monitoria para John duas vezes por semana, até o final do ano.

Fecho os olhos e concentro toda minha energia em fazer Scott perceber que pertencemos um ao outro. Decido me arriscar mais por ele.

Logo que abro os olhos, o sol some abaixo do horizonte.

— Para que lado você vai? — pergunto.

— Uns trezentos metros naquela direção.

— Você vai ficar?

— Mais ou menos. Eu moro bem ali — aponta John para um apartamento uns cinco andares acima de nós, com janelas enormes e vista para tudo.

— Não é possível.

— É, sim.

— Eu estava pensando em como seria legal morar em um desses lugares.

— Garanto que é infinitamente mais legal sem sua mãe e sua irmãzinha morando com você.

— Onde está seu pai?

— No Maine, com a nova esposa.

— Oh, desculpe!

— Você tem alguma ideia de como o inverno é frio no Maine? E viajar com minha irmã é muito chato. Nós temos de dividir os feriados entre os pais agora. O Natal lá é insano. Você se sente um animal selvagem procurando por comida na tundra congelada. Não estou dizendo que eles não nos alimentam, claro. Só que, quando tudo está tão triste, é como se seu instinto de sobrevivência brotasse.

Será que alguém ainda tem uma família normal? Aparentemente, antes era extremamente comum as famílias terem pai e mãe. Eles ficavam juntos porque era o que todos os outros casais faziam. Agora existem tantas opções, tantas formas diferentes de ser uma família... Tantas formas de destruir uma família!

— Então, estou sabendo que vocês foram ao High Line ontem — Sadie diz.

— É incrível!

— Eu sei.

Ela ziguezagueia na calçada ao redor de uma senhora idosa, que está arrastando os pés, apoiada em um andador.

— Você já deu monitoria em algum lugar fora da escola?

— Não, gosto de ficar ali dentro. Acho que o trabalho rende mais.

Sadie atravessa a rua correndo, sem mais nem menos. Eu corro para alcançá-la.

— Por que você atravessou? Achei que o Rite Aid fosse daquele lado.

— Ah, é daquele lado mesmo! É que eu sempre ando deste lado da Charles Street.

— Por quê?

— É mais legal.

Estou confusa. A Charles Street é uma das ruas mais bonitas da cidade. Que diferença faz se você está de um lado ou do outro da rua?

— Eu sei que é esquisito — admite ela. — Estou tão acostumada com o meu jeito de caminhar, nem percebo mais o que estou fazendo. Desculpe por estar sendo tão louca!

— Tudo bem.

Andar com Sadie pode não ser a coisa mais fácil do mundo, mas me faz sentir menos solitária. Ainda dói saber que Candice está brava comigo. Até April está estranha. Ontem foi o primeiro dia que não conversamos, desde que me mudei. Pelo menos as coisas estão melhorando por aqui. Sadie não é tão irritante quanto eu presumi inicialmente. Acho até que ela é uma pessoa de quem vou querer ser amiga. E é por isso que concordei em ir para casa com ela.

Mas, primeiro, temos de ir à Rite Aid. Sadie precisa de absorventes e eu não tenho nenhum na bolsa. Nem acreditei que ela também não tinha. A bolsa de Sadie é enorme, está sempre cheia de suprimentos, como loção, espelho, brilho para lábios, chicletes, balas de hortelã, lixas de unha, variadas presilhas de cabelos. O que você precisar, ela tem. Hoje é uma anormalidade.

Na Rite Aid, examino as prateleiras de revistas. John Krasinski está em uma das capas. Tenho que me lembrar de contar para Scott.

Entramos na fila. Sadie pega um tubo pequeno de Bliss Body Butter. Eu a vi usando esse hidratante na sala de aula inúmeras vezes.

— Eu gosto desse hidratante — comento. — Tem um perfume tão gostoso!

— Minha mãe sempre leva alguns para casa, do trabalho. Ela é *concièrge* no W Hotel, na Times Square, e ganha montes de amostras grátis. Vou trazer algumas para você.

— Obrigada!

— Você é fã dos Beatles?

— Não exatamente. Por quê?

— É que tem um lugar no Central Park onde as pessoas se reúnem e tocam canções dos Beatles. Chama-se Strawberry Fields. Sabe?

— Humm...

— Como a canção?

— Ah!

Eu provavelmente deveria saber disso. Realmente gosto de músicas antigas. Paul Simon embala meu mundo, suas músicas têm tanto a ver com Nova York! Se tivesse um lugar no Central Park chamado "Train in the Distance", eu entenderia.

Há somente duas pessoas na nossa frente na fila, mas Sadie está toda irrequieta e afobada. Entendo sua dor. Quando estou no período menstrual, o último lugar onde quero estar é presa em alguma fila.

Um dos caixas grita:

— Próximo!

Nós somos as próximas, mas Sadie dá passagem para o rapaz que está atrás de nós.

— Por que você não foi? — pergunto.

Sadie está fascinada por uma prateleira com misturas energéticas.

— E aí, como estava no High Line? — ela muda de assunto. — Você conseguiu fazer um pouco do seu trabalho?

— No final, sim, mas a princípio fiquei bem desconcentrada.

— Próximo!

Nós somos as próximas novamente. Sadie sorri para a mãe que está atrás de nós, empurrando um carrinho com um bebê triste.

— Você pode ir — diz Sadie para ela.

Eu me pergunto: "O que está acontecendo?".

Sadie se afasta dos caixas e fica examinando a prateleira com misturas energéticas novamente. Talvez ela esteja sem graça de comprar absorventes. Eu costumava ser assim.

— Tudo bem — falo para ela. — Vou pegar um pacote para você.

— É mesmo? Ah, meu Deus, *obrigada*!

Sadie coloca dinheiro em minha mão e depois sai correndo da loja, com a cabeça baixa.

Quando a encontro do lado de fora, está apoiada na parede lateral da loja, toda ruborizada. Entrego a sacola e devolvo o troco para ela.

— Eu também odiava comprar absorventes.

— Não é isso.

— Então, qual é o problema?

— Nada. Vamos embora?

— Por quê?

— Eu realmente não estou a fim de falar sobre isso.

— OK.

Andamos meio quarteirão em silêncio.

E então Sadie diz:

— Bem, é que... eu estava tentando ganhar tempo para ver se a gente passava pelo outro caixa.

— Foi por isso que você deixou aquelas pessoas passarem na frente?

— Mais ou menos. É.

— Achei que estava com vergonha de comprar absorventes.

— Se eu tivesse que comprar com o Carlos, ficaria muito sem graça.

Claro que é por isso que ela estava tão nervosa e vermelha. Ela gosta do caixa bonitinho.

— Ele é bonitinho — digo eu.

— Ele é mais que bonitinho.

— Se você não queria que ele a visse, por que não fomos ao Walgreens ou a algum outro lugar?

— Ele não deveria estar lá. Ele deve ter trocado de horário com alguém.

— Você conhece a escala de trabalho dele?

— Não, mas nunca o vi à tarde. Exceto nos fins de semana.

— Você já conversou com ele?

— Apenas o típico "como-vai-você-eu-estou-bem". Mas juro que ele olha para mim de um jeito diferente. Assim que me vê, fica todo animado. Eu já observei e ele nunca fica entusiasmado quando vê outros clientes. Mas pode ser que eu esteja apenas imaginando coisas. Provavelmente estou.

Tenho certeza de que Sadie está certa sobre o jeito que Carlos é com ela. Por que ele não gostaria dela? É muito bonita e meiga. É exatamente o tipo de garota que ele gostaria. Será que ela não sabe disso?

— Deixa para lá! — diz ela. — É provável que ele tenha namorada.

— Você não sabe se tem. Por que você não o convida para sair?

— Ah, sim, claro! Você acha que ele sairia comigo?

— Por que não? Você é bonita.

Sadie acha graça.

— Você é. Se você convidasse Carlos para sair, ele ficaria bem empolgado.

— Então por que ele não me convida para sair?

— Você não pode convidar um cliente para sair. É contra as normas.

— Então... sou eu que tenho de ir até ele e convidá-lo para sair?

— É isso mesmo.

— Não sou tão segura assim.

— Desde quando? Você é totalmente segura.

— Não com garotos.

Será que me sinto segura com garotos? Acho que sim. Nunca fiquei tímida perto deles. Na minha cidade, as pessoas costumavam dizer que eu era durona. O que é estranho, porque não me sinto nem um pouco durona; eu me sinto quebrada. Mas agora que estou cercada de possibilidades, parece que, finalmente, poderei juntar meus pedaços novamente.

# 12

**Scott está tendo** um dia ruim.

Às vezes, ele ficava assim na nossa cidade. Nesses dias, quando o observava na sala de aula, da segunda fileira atrás dele, Scott se sentava pesadamente na cadeira. Parecia uma pessoa diferente e se fechava completamente. Eu sempre quis perguntar o que estava acontecendo e se tinha alguma coisa que eu podia fazer, mas nunca tive coragem.

E agora somos amigos. Sentamos juntos na classe. Posso conversar com ele quando eu quiser.

Quando Scott entrou na sala, sabia que ele passava por outro dos seus dias ruins. Queria perguntar logo o que estava acontecendo, mas não podia assustá-lo mostrando que eu sabia que havia alguma coisa errada só de olhar para ele. Mas preciso dizer alguma coisa. Considero a possibilidade de uma aproximação engraçada. John provavelmente diria: "Parece que alguém tem problemas com as segundas-feiras!", uma das frases da série *Office Space*. Algo me diz que Scott não ia achar engraçado.

Nós caminhamos juntos depois da aula.

— Está tudo bem? — pergunto.

— Não.

— Você quer conversar?

— Não.

Novamente, Leslie o aguarda do outro lado da rua. Desde aquele confronto maluco no Joe, ela nunca mais me incomodou, à exceção do jeito que ela nos observa quando caminhamos juntos, como se eu não tivesse o direito de estar aqui.

— Bem, se você mudar de ideia, sabe onde me encontrar — digo.

Eu também sei onde encontrá-lo, porque, depois de procurar Scott todas aquelas noites, após o nosso passeio na lanchonete, simplesmente passamos por seu apartamento. Adoro saber exatamente onde ele mora. Adoro saber que ele está perto.

Tentar fazer minha tarefa é inútil, não porque seja difícil. Nunca é. Embora tenha de confessar que as coisas são mais desafiadoras aqui. Estes professores obviamente se esforçam para preparar as aulas e as tarefas, enquanto meus professores antigos distribuíam apostilas velhas e nada mais. O trauma pelo qual passo atualmente é que não consigo me concentrar por tempo suficiente para terminar as lições. Só consigo pensar em Scott. Fico querendo saber o que está acontecendo com ele e se posso ajudá-lo.

E se eu escrevesse um *warm fuzzy* para ele?

Quando Sadie me explicou sobre os *warm fuzzies*, ela parecia uma dessas idealistas iludidas que pensam que podem mudar o mundo. No entanto, percebo que fazer alguma coisa boa para alguém talvez seja o objetivo deles. É isso que significa importar-se com outra pessoa, mesmo que você não a conheça.

Ligo para April e conto a ela sobre o *warm fuzzy*.

— E então, você acha que devo escrever um para Scott? — pergunto.

— Por que não? Seria bonitinho.

— Você tem certeza de que não seria besteira?

— O bonitinho aniquila a besteira.

— Então é besteira!

— Desde quando você se preocupa tanto com o que os outros pensam? A Brooke que eu conheço faz suas próprias coisas, aconteça o que acontecer.

A Brooke antiga que April conhece ficou presa em New Jersey, desejando uma vida melhor. Este Novo Eu em Nova York está fazendo aquela vida acontecer. Estou me arriscando mais, me esforçando. Tenho muito mais coisas com que me preocupar.

— Eu contei que não aceitei sair com Robby Miller? — pergunta April.

— Não! Quando?

— Ontem.

Por que ela não me contou ontem? Nós sempre contamos as coisas uma para a outra imediatamente.

— O que você disse? — pergunto.

— Que eu não estava em uma fase de namoro agora.

— O que é uma *fase de namoro*?

— Uma coisa que inventei para não parecer grosseira.

— Você não é grosseira.

— Ah, não? Diga isso ao Robby Miller.

— Não temos culpa se gostamos ou não de alguém.

— Eu nunca vou ter um namorado. — April parece derrotada.

— Claro que vai — asseguro. — A questão é que você está rodeada de idiotas, é só isso. Não tem nada a ver com você.

— Droga! Mamãe está gritando para que eu arrume a mesa. Preciso ir.

— OK. Não se preocupe com Robby. Ele vai se recuperar... quando ele tiver mais ou menos 30 anos.

— Escreva aquele *warm fuzzy* já.

April está certa. Está na hora de parar de pensar e começar a agir.

Andar na rua de Scott é muito melhor agora que eu sei aonde estou indo. Colo o *warm fuzzy* abaixo da sua campainha. Depois, praticamente corro para casa para não me dar tempo de mudar de ideia. Usei um pedaço de papel cor de cereja que achei no meio dos meus papéis, não consigo me lembrar de onde veio. É como se esse papel vermelho estivesse esperando pelo dia que serviria para um propósito vital. E usei uma caneta preta metálica para escrever:

*Scott*
*Estou aqui se você precisar de mim.*
*Pensando em você...*
*Brooke*

Eu queria muito escrever "Com amor, Brooke", mas isso poderia afugentá-lo. Pensei em usar "abraços e beijos", como Sadie faz, mas não achei adequado. Por fim, só assinei meu nome, esperando que Scott não me ache uma completa idiota.

Scott não acha que eu seja uma completa idiota. Ou, então, está disfarçando muito bem.

— Muito legal você ter deixado aquele bilhete — diz ele, na classe, no dia seguinte. — Obrigado!

— De nada! É esse negócio de gentilezas ao acaso que estou fazendo com a Sadie.

OK, de onde tirei isso? É que eu *não* queria que Scott me achasse idiota.

Recado para si mesma: invente um botão para deletar falas.

Scott abre seu caderno com Dunder Mifflin na capa, mas hoje não precisamos fazer anotações porque temos uma substituta. O senhor Peterson deixou umas coisas divertidas sobre ilusão de ótica para trabalharmos em duplas.

Scott e eu aproximamos nossas carteiras e terminamos o trabalho em 15 minutos. Ficamos com o resto da aula livre.

— Você consegue fazer um dragão? — pergunta Scott.

— O quê?

— Um dragão de origami.

— Por favor, peça algo mais difícil!

Vasculho os papéis que estão no meio do caderno de Scott até encontrar um folheto de um time de boliche.

— Posso usar este?

— Você pode arrancar uma folha nova do meu caderno.

— Eu só uso papel achado. É mais estimulante.

— Você não usou um papel novo quando fez aquele copo?

— É porque ele ia usar para beber água.

Scott observa enquanto faço a dobradura de dragão. Fazer dragões é muito mais fácil do que parece. O certo é colar a cabeça no final. Em vez disso, pego uma fita adesiva da mesa do senhor Peterson. A substituta nem percebe, está muito ocupada com a revista *People*.

— Como você fez isso? — diz Scott, quando mostro o dragão. — Você nem precisou de um diagrama.

— Eu já vi o diagrama.

— Mas como você consegue se lembrar de tudo?

Não estou com vontade de contar isso a ele. É um segredo que estou determinada a guardar.

— Simplesmente consigo — respondo. — Qual vai ser o nome dele?

— Snuffleupagus.

— Muito bom!

— Nós tivemos um cachorro chamado Snuffleupagus.

— Foi você que colocou esse nome?

— Foi. Tivemos de sacrificá-lo.

— Ai!

— Foi há muito tempo. Eu tinha 7 anos.

Empurro o dragão de um lado para outro no caderno de Scott.

— Ele vai começar a soltar fogo? — pergunta.

— Não, é um dragão amigável.

— Um dragão amigável... Eu gosto desses.

— Sabia que você gostava, por isso...

— Você pode me ensinar a fazer?

— Você já fez origami antes?

— Nunca.

— Bem, então provavelmente devemos começar com uma garça.

— Garças são legais.

— Mas só se você me ensinar a fazer aqueles movimentos que faz com sua caneta.

Scott ri. Ele está rindo por minha causa.

Isso é demais!

— Negócio fechado — concorda.

Ensino algumas dobraduras básicas. Ele já está perdido. Tento mostrar a garça, mas é difícil para ele. Scott faz umas dobraduras irregulares e não consegue entender para que lado as partes vincadas devem ser dobradas.

— Não se preocupe — digo eu. — Levei uma eternidade para aprender.

Não é verdade. Origami sempre foi muito fácil para mim.

— Mudando! — Scott pega a caneta. — O segredo? Está no polegar.

Deve ser um segredo bem grande, porque, depois que Scott pacientemente demonstra sua técnica e eu arremesso a caneta para o outro lado da sala, fica óbvio que não conseguirei fazer aqueles movimentos giratórios tão cedo. O segundo incidente com a caneta voadora é particularmente alarmante. Tento girar minha caneta usando o mesmo movimento delicado e rápido que Scott usa quando, de repente, ela escapa e vai parar na mesa do senhor Peterson. Por pouco não acerta a perna da substituta. Ela ergue os olhos toda atordoada, como se tivesse esquecido que estava, na verdade, em uma sala de aula rodeada de alunos.

Decido que é melhor praticar em casa.

É interessante como uma coisa que é tão fácil para uma pessoa pode ser tão impossível para outra. Não que eu ainda fique surpresa, vi isso a vida inteira. Eu sabia que era diferente das outras crianças desde a época do jardim da infância. Uma psicóloga costumava me levar para outra sala para que ela pudesse "me conhecer". Mesmo tendo apenas 4 anos de idade, sabia que aquilo era um código para ser testada. Havia alguns problemas de lógica, testes da mancha de tinta e mais um monte de testes de que não me lembro. Toda vez que ela vinha me buscar, me fazia lembrar o quanto eu era diferente. Tudo que eu queria era me entrosar. Mesmo naquela época, minimizava a importância do meu potencial, tentando esconder das outras crianças quem eu realmente era, para que elas pudessem gostar de mim.

Claro que as pessoas descobriam um dia. Você não consegue esconder seu verdadeiro eu para sempre, não importa o quanto tente. Acho que Scott nunca percebeu nada disso. Nossa escola era enorme e só tínhamos uma aula juntos. Naquela altura, eu me destacava por ser invisível. Os professores ficaram tão desapontados comigo que nem se davam ao trabalho de dizer alguma coisa na sala. Eles tentavam falar comigo em particular, mas ficavam desanimados quando eu não reagia do jeito que queriam. Na escola de ensino fundamental, os professores comentavam como eu era inteligente e, de repente, a classe toda estava me encarando. Todos os alunos tinham a mesma expressão: parte intimidação, parte inveja. Mas, eles ficavam principalmente, surpresos.

Não quero que ninguém me olhe daquele jeito novamente. Se isso significa que devo esconder quem eu sou, posso viver com isso. Passar despercebida é muito mais fácil que lidar com as consequências.

# 13

**O Garoto do Café Expresso** está me encarando de novo.

Ele não quer que eu perceba. Toda vez que noto que está me olhando, ele desvia o olhar ou então finge que observa as camisetas do Joe, na parede atrás de mim.

Ele é bonitinho. Eu podia até ir conversar se estivesse interessada. Pela minha experiência, vale a pena ser direta. Os garotos ficam totalmente lisonjeados quando sabem que você gosta deles. Só que não é ele quem eu quero lisonjear.

Sadie disse que me encontraria aqui depois da aula. Ela está atrasada. Tento evitar contato visual com o Garoto do Café Expresso por mais tempo do que o aceitável. Está ficando impossível ler meu livro assim: ou sinto que ele está me encarando ou fico paranoica achando que pode estar me encarando. Quando vou até o balcão comer um lanche, percebo claramente que não está concentrado em seu *laptop*.

Estou prestes a ligar para Sadie quando meu telefone toca.

— Desculpe! — diz Sadie. — O senhor Peterson me pegou antes de sair e não parava de falar. Estou a caminho.

— Na verdade, não podemos nos encontrar em outro lugar?

— Por quê?

— Ele está aqui novamente — sussurro.

— O Garoto do Café Expresso?

— É.

— Será que ele não poderia ser um pouco mais óbvio?

— Não exatamente, não. Onde você está?

É impressionante como, em apenas três semanas, minha atitude com Sadie mudou. Eu achava que nunca poderíamos ser amigas e agora passeamos de vez em quando depois das aulas. A princípio, conversávamos principalmente sobre monitoria, mas já posso sentir uma mudança em nossas conversas. Começou no dia em que Sadie evitou Carlos na Rite Aid. O fato de ter compartilhado seu segredo nos tornou imediatamente mais próximas. Uma parte de mim está aliviada por ter uma amiga aqui, mesmo que eu não estivesse procurando.

Quinze minutos depois, nos encontramos na esquina da Greenwich com a Charles Street. Nós já esvaziamos as mochilas em casa para não ficarmos sobrecarregadas.

— Este — diz Sadie — é meu caminho favorito.

Nós descemos a Charles Street pelo lado preferido de Sadie. É um trajeto que já é familiar para mim. Quando vou sozinha ao parque, geralmente relaxo no jardim zen ou só observo as luzes da cidade, mas, desta vez, viramos à esquerda e continuamos caminhando pelo rio.

— O senhor Peterson adora você — comenta ela. — Ele só fala em você.

— Sério?

— Nós dois somos admiradores do seu grande cérebro.

— Para!

— Espera aí, você sabe que é verdade. Por que não admite que é um gênio?

Fiquei aterrorizada.

— O senhor Peterson te contou?

— Contou o quê?

— Nada. Podemos não falar sobre escola?

— A quitinete é descendo aqui. — Sadie muda de assunto. — Nós podemos ir lá um dia. Os *cupcakes* deles competem com o Crumbs.

— Estou dentro.

— Então, eu voltei ao Rite Aid...

— Quando?

— Ontem.

— Você o convidou para sair?

— Não, não o convidei para *sair*. Eu mal consegui olhar para ele!

— Tem algum jeito melhor de ganhar a confiança de um garoto do que convidá-lo para sair?

— Para você, é fácil dizer isso. Você é maravilhosa!

— Você comeu um prato de demência como acompanhamento no almoço?

— Se eu fosse como você, não teria nenhum problema em convidar alguém para sair.

Não consigo entender por que Sadie tem autoestima tão baixa. Será que ela já foi rejeitada por um garoto? Ou então teve uma experiência desagradável com alguém que amava, como eu tive?

Sadie está certa sobre este caminho que estamos fazendo. É impressionante! Não por causa de alguma coisa em especial, é mais pela sinergia da água e dos edifícios, da iluminação das ruas e das pessoas. Tudo isso está me deixando emocionada. Tem alguma coisa nesta energia que me faz lembrar todas as emoções que eu sentia na minha cidade, querendo tão desesperadamente estar aqui: o desejo profundo, o anseio pela agitação e a paixão pela vida na cidade. E é diferente de andar sozinha. Compartilhar isso com Sadie torna a experiência, de alguma forma, mais intensa, mesmo que ela não saiba o quanto isso significa para mim. Espero que esta pressa de estar finalmente fazendo parte de tudo que eu sonhei nunca desapareça.

Nós passamos por uma antiga fábrica de papel com letreiros desbotados. Adoro descobrir prédios que antes serviam para outra coisa. É bacana como eles conseguem ter a chance de se reinventar.

— Isso é tão legal! — exclamo.

— O quê?

— Aquele prédio. Aparentemente, era uma fábrica de papel.

— Ah, é... Que legal!

— E aquela caixa-d'água elevada ali.

— Você repara em caixas-d'água elevadas?

— Claro! Eu adoro.

— Por quê?

— Acho que são bonitas.

— Ah, nunca reparei.

Eu me lembro da primeira vez que vi Ree desenhando. Fiquei com tanta inveja porque ela morou aqui a vida inteira, envolvida pela energia, luzes e edifícios, mas talvez essas coisas sejam como barulho de fundo para quem é daqui. Talvez você tenha que experimentar a cidade como um lugar totalmente novo para apreciá-la como eu. A menos que você seja o John. Ele não é como todo mundo.

— É legal como você consegue fazer isso — diz Sadie. — Você só vê as partes boas da cidade.

— É impressionante o que você vê quando olha para cima.

— Acho que estou ocupada demais olhando para baixo. Não quero pisar em nada.

— Ei!

— Desagradável, mas é verdade.

— Bem, eu tinha vontade de morar aqui há muito tempo. Estou meio... apaixonada!

— Eu não sabia disso.

— Você é a primeira pessoa, aqui, para quem eu conto.

Não sei se é essa caminhada incrível ou o fato de ter uma inesperada amiga nova ou toda a empolgação por tudo que aconteceu desde que cheguei aqui. De repente, simplesmente quero contar para Sadie por que estou aqui. Quero compartilhar isso com alguém que não fique escandalizado com minha decisão, como Candice, ou empacada no meio, como April. Dei este salto enorme, que alterou toda a minha vida, sem realmente poder compartilhar a experiência com alguém.

Mas não posso contar para ela ainda. Scott tem de ser o primeiro a saber e, espero, ele vai gostar do que irá ouvir.

# 14

**Quando o senhor Peterson** me pede para ficar depois da aula, logo imagino qual é o assunto. Dá para perceber pelo jeito que ele olha para mim quando diz que precisamos conversar. É o mesmo olhar dos meus antigos professores quando descobriam sobre mim. Aqui, em Nova York, eu tinha a esperança de evitar tudo aquilo de novo. Por que não posso ser simplesmente a garota nova passando rapidamente pelo terceiro ano, sem toda pressão?

— Por que você não me disse que era um gênio? — o senhor Peterson quer saber.

— Na verdade, não sou.

— Seu QI está bem acima do QI de um gênio. Isso a torna um gênio.

Olho fixamente para um pedaço de giz quebrado no chão. Quando o senhor Peterson se empolga com qualquer coisa que está escrevendo na lousa, o giz sai voando.

— Como você descobriu? — pergunto.

— Estou cada vez mais fascinado por você.

Ele se recosta na lousa, como sempre. O senhor Peterson é um desses professores com permanente pó de giz na bunda.

— Sua habilidade lógica é a mais impressionante que já vi, e eu leciono há mais tempo do que você tem de vida. Você é capaz de se lembrar de uma incrível quantidade de detalhes, depois de ver alguma coisa apenas uma vez. Todos os seus trabalhos são notáveis. Queria saber mais sobre você, por isso li sua ficha.

— Você leu minha *ficha*?

— Os professores têm permissão para fazer isso.

Pode ser que ele esteja certo, mas isso não faz com que me sinta menos invadida.

— Também perguntei sobre você aos outros professores. — Minha fisionomia deve estar revelando minha fúria, porque ele rapidamente acrescenta: — É minha responsabilidade confirmar se todos os monitores estão mantendo uma nota média de pelo menos 85. Até agora sua média é 73. Você e eu sabemos que deveria ser muito mais alta.

Mesmo que esta escola seja mais desafiante que minha antiga escola, ainda consigo me esforçar o mínimo e tirar notas suficientes para passar. Estudo pouco para as provas e consigo pontuações altas, por isso não me preocupo em tirar nota maior que C nas outras atividades.

Meu procedimento de praxe para aguentar sermões do tipo: "Estou tão desapontado com você!" é parar de escutar e deixar o adulto que está me criticando falar o que quiser. Aperfeiçoei a técnica após tolerar muitos discursos da minha mãe e dos meus antigos professores, além de várias pessoas do setor administrativo das escolas. Como se escolher de que forma você prefere viver sua vida enquanto estiver no ensino médio fosse um grande crime!

Não acredito que tenho de escutar toda essa bobagem novamente! Já me basta ter de suportar a atitude dos colegas na sala de aula só porque sou a única que entende o que o professor está falando ou porque me lembro de alguma informação aleatória de uma leitura. Nunca fiquei me exibindo. Ao contrário! A vida é tão mais fácil quando você se dá bem com as pessoas, quando consegue se entrosar, em vez de ser rotulada de anormal. Assim que os professores descobrem a verdade, começam a esperar muito mais de mim. A última coisa que quero fazer é um monte de trabalho extra. Por isso, sempre minimizei a importância dos meus talentos. Como quando fizemos aqueles testes de QI no oitavo ano. April me contou qual era seu QI, mas, quando me perguntou qual era o meu, eu o reduzi. Bastante.

— Estou indo bem na sua aula — eu o lembro.

— Verdade, mas acho que é porque minha aula tem um aspecto criativo que a motiva a trabalhar mais intensamente.

Ele está certo, claro. Não que eu esteja admitindo qualquer coisa. Em um interrogatório, falar pouco é sempre melhor.

— Então, o que quero saber é o seguinte: por que não está fazendo o tipo de trabalho que todos sabem que pode fazer com metade do seu cérebro amarrado nas costas? — pergunta ele.

Não sei o motivo, mas minha determinação em fingir que estou ouvindo outro discurso sobre o quanto estou desapontando o mundo está indo por água abaixo. Se eu tiver que aturar mais um destes, juro que vou pirar. É realmente irritante saber que o senhor Peterson foi bisbilhotar a minha ficha, metendo o bedelho onde não deveria. Por que não me deixa em paz?

— O trabalho — explico — faz parte do sistema com o qual eu não concordo.

— Que sistema é esse?

— O sistema da escola pública.

— Ah! — Ele balança a cabeça olhando para o teto. — Ela tem mesmo muitos problemas, né?

Uau! É a primeira vez que escuto um professor quase admitir que o sistema é uma grande porcaria.

— Qual é o maior problema em sua opinião? — pergunta ele.

— São tantos, mas acho que o maior problema é que as escolas oferecem este currículo sem graça, que não poderia ser mais entediante, e depois os professores ficam bravos quando os alunos não se interessam por suas aulas. É ridículo!

— Notei esse problema também. Foi por isso que criei a matéria "Fora da Caixa".

— Esta é a única aula interessante que tive até hoje. Aulas assim nem existiam na minha antiga escola.

— Que pena!

— As escolas ensinam somente para que os alunos resolvam a prova. Então, baseadas em suas respostas a algumas perguntas sem sentido, que eles simplesmente vão esquecer depois do teste, fazem estes julgamentos generalizados dos alunos. E têm a coragem de chamar isso de Educação. Elas estão fazendo tudo errado! — eu deveria calar a boca, mas estou fervendo de tanta fúria. — Como vamos ficar mais inteligentes sendo obrigados a aprender coisas que não nos interessam? E por que devo ser forçada a me tornar parte de alguma coisa em que não acredito? Só porque sou capaz significa que, automaticamente, eu tenha de fazer parte de um sistema corrupto? Sei que você está desapontado comigo, mas eu estou desapontada com a qualidade da educação que é oferecida para mim. *Isso* não tem importância?

A princípio, é difícil interpretar a expressão no rosto do senhor Peterson, mas acho que, depois, eu a reconheço.

É respeito.

Pela primeira vez na nossa história, é difícil falar com April. Falar com April nunca foi nem um pouco difícil. Não consigo entender o que está acontecendo. Quando me mudei, nós prometemos conversar todos os dias e fizemos isso durante as primeiras semanas. Depois, as coisas mudaram. Não foi nada dramático ou algo parecido. Provavelmente, foi imperceptível no começo e, quando percebi, já estava acontecendo há algum tempo. Mas hoje está claro.

Essa coisa estranha começa quando pergunto a April se ela acha que Candice vai voltar a falar comigo um dia.

— Eu não sei — responde April.

Fico esperando, achando que ela vai continuar. Porém, não continua.

— Bem, ela ainda está loucamente brava comigo? — pergunto. — Ou só um pouco brava?

— Eu diria que ela ainda está loucamente brava.

— Ela fala sobre mim?

— Você realmente precisa parar de me perguntar da Candice.

— Por quê?

— Porque não é justo me colocar no meio.

— Mas você vê Candice todos os dias! Eu me mudei, lembra?

— Ah, *eu* me lembro. Acho que você deveria se lembrar também.

— O que você quer dizer com isso?

— Você se lembra como Candice gostava do Scott e que, mesmo sabendo disso, você foi atrás dele?

— Mas isso foi há tanto tempo! E ele nem gostava dela!

— Não importa. Você sabia que ela gostava dele e você foi atrás dele mesmo assim. Como você achava que ela ia se sentir?

— Você está do lado dela, por acaso?

April suspira.

— Não estou do lado de ninguém. Só estou comentando.

— Porque parece que você está do lado dela...

Isso é tão ridículo! Candice ficou brava porque segui Scott até aqui. Eu entendo isso. Mas ela vai ficar brava para sempre? Quanto tempo vai levar até superarmos isso?

Como se meu dia já não estivesse suficientemente estressante! Ainda estou danada da vida com o senhor Peterson, que bisbilhotou minha ficha. Bem, acho que poderia ter sido pior. Se eu tivesse desabafado minhas ideias antissistema corrupto com qualquer outro professor, provavelmente seria suspensa. É tão bom ser não só compreendida, como também ouvida! Realmente parecia que o senhor Peterson concordava com o que eu estava dizendo, mas depois ele me disse que, se não aumentar minha nota média para 85, serei expulsa da monitoria.

— É o regulamento — justificou ele.

— Alguns regulamentos nasceram para ser violados — contestei.

— Boa tentativa. Você tem três semanas para subir sua média ou então não fará mais monitoria para nós.

Como se eu me importasse! De qualquer forma, monitoria não era uma coisa que queria fazer. Só me inscrevi para que Sadie me deixasse em paz. Tem mais um monte de gente que poderia ajudar John. OK, não um monte, mas tem de haver alguém.

— Sinto muito se você acha que está no meio — digo a April —, só estou querendo saber sobre Candice.

— Bem, não queira! Quando ela estiver pronta, vai falar com você.

Estou limpando o meu quarto enquanto conversamos. Minha bolsa está uma bagunça. Eu a viro na cama e dou uma sacudida. Aí encontro o bilhete dele.

— Ai, meu Deus! — exclamo.

— O quê?

— Acho que Scott me escreveu um bilhete. Acabei de encontrá-lo na bolsa.

Mas a realidade se restabelece quando noto que meu nome não está escrito com a letra dele. Eu não reconheço a letra.

— O que está escrito?

Abro. Meu coração se entristece. Ainda tinha esperança de que pudesse ser de Scott.

— É do Garoto do Café Expresso.

— Da cafeteria?

— É. Ele deve ter posto na bolsa ontem, quando me levantei para pegar um lanche. Escreveu o número do seu telefone no bilhete.

— Você vai ligar para ele?

— Acho que não. Não. Ligar para ele e dizer que gosto de outra pessoa seria cruel. Seria pior do que não ligar, não acha?

— Você tem certeza de que não gosta dele?

— Humm, eu me mudei para cá por causa do Scott.

Silêncio. April e eu normalmente analisávamos os garotos que gostavam de nós durante horas. Porém, as coisas estão tão tensas que dá para perceber que esse assunto acabou.

— Bem — digo eu —, mais alguma novidade?

— Você sabe, continua tudo igual por aqui. Todo mundo está cheio da escola e não estamos nem em outubro ainda. Não sei como vamos sobreviver até junho.

— Aqui está assim também.

— É mesmo? Pensei que sua nova escola fosse muito melhor...

— É, mas os alunos agem do mesmo modo.

— O que aconteceu hoje? Você disse que um professor a fez ficar até mais tarde...?

— Ah, é! O senhor Peterson... — contei o que aconteceu a April. — Você acredita que ele está me obrigando a trabalhar de verdade?

— Ele não está te obrigando, você pode desistir das aulas de monitoria quando quiser, certo?

— É. Estou pensando nisso. Mas aí Sadie vai começar a me perturbar novamente e eu realmente não preciso desse estresse.

— E por que você se importa se uma garota qualquer ficar te amolando para dar aulas de monitoria? Diga que não quer e pronto.

— Já tentei fazer isso. Ela é implacável. E Sadie não é apenas uma garota qualquer, ela é minha amiga.

Mais silêncio.

— Você ainda está aí? — pergunto.

— Pode ser que isso seja uma coisa boa. Quero dizer, trabalhar.

— Por quê? Você sabe que não concordo com o sistema.

— Sim, mas isso não significa que não possa tirar proveito disso.

— Como assim?

— Você pode, por exemplo, melhorar seu histórico escolar e conseguir estudar em uma boa faculdade.

— Acho que já está tarde demais para isso. Temos que começar a nos candidatar logo.

— É uma pena você ter perdido tempo durante todos esses anos — diz ela. — Você poderia ter ido para Harvard ou Yale.

— Para quê? Nem sei o que quero da vida!

— Sem querer ofender, talvez já esteja na hora de começar a descobrir.

— Você sabe que não é tão simples assim.

— Você quer ouvir alguma coisa simples? Você poderia ter tirado A em tudo, com muito pouco esforço. Poderia ter sido a melhor aluna da turma, mas jogou tudo fora. E para quê? Para fazer uma declaração radical que ninguém está ouvindo? Para demonstrar um ponto de vista que não beneficia ninguém? Acorda, Brooke! Ninguém se importa.

April nunca foi assim. Não sei o que está acontecendo, mas não gosto disso.

— De onde está saindo tudo isso? — pergunto.

— Você tem alguma ideia do quanto é difícil para nós? Todas as faculdades que me interessam querem que eu seja ou mais inteligente, ou mais envolvida em atividades, ou mais notável, ou apenas... *mais*. Se eu tivesse o que você tem, qualquer uma delas me aceitaria sem nenhum problema! Você tem este dom incrível e está desperdiçando totalmente.

Já escutei isso inúmeras vezes: de minha mãe, dos professores, dos orientadores educacionais, de todos os adultos que têm vontade de dar uma opinião sobre o tipo de pessoa que eles acham que eu deveria ser, mas, vindo de April, a mensagem tem um significado totalmente diferente.

Inacreditável! April também é uma daquelas pessoas e eu nem sabia. Ou então ela só começou a se sentir assim depois que eu parti. As pessoas podem ficar um pouco loucas quando alguém de quem elas gostam vai embora. Mesmo que April pense assim há muito tempo, e tenha reprimido, tem um motivo para isso vir à tona agora. Ela não parece incomodada em me machucar com o que diz, o que me preocupa. E se a distância entre nós for maior do que a nossa amizade? Como podemos continuar sendo melhores amigas, quando vivemos em mundos diferentes?

# 15

**O pequeno grupo de inglês** para o qual Sadie dá aula de monitoria acabou de receber uma leva de *warm fuzzies*. Sadie fez alguns enquanto estávamos ao telefone ontem à noite. Ela me ligou pedindo ajuda com um problema de cálculo e depois continuamos conversando. Sadie disse desejar que todos os seus alunos da monitoria fossem incentivados (se eles estiverem se esforçando) ou recompensados (se estiverem melhorando) com um *warm fuzzy* brilhante e personalizado. Observo quando Sadie os entrega, e é obvio que todos acham que são as coisas mais lindas do mundo.

John e eu estamos na nossa mesa de sempre. Como está chovendo, hoje não tem High Line. John teve um pequeno acesso de raiva, pois detesta quando temos de ficar aqui. Até sua camiseta está com raiva: tem um desenho simples de uma figura humana tendo um ataque de raiva e, embaixo, a frase: SEMPRE É ALGUMA COISA.

— Por que precisa chover hoje? — reclama ele. — Podia chover qualquer outro dia que não tivesse aula de monitoria. É tão *injusto*!

— O High Line vai continuar no mesmo lugar — asseguro.

— Isso é que é frustrante. O fato de ele existir e de continuar lá é uma provocação!

Uma das garotas do grupo de Sadie grita. Ela se levanta e abraça Sadie.

John dá uma olhada para elas.

— O que será que está acontecendo?

— Sadie está entregando *warm fuzzies*.

— *Warm*... o quê?

— São pequenos bilhetes que servem para deixar as pessoas felizes. Sadie está dando um para cada aluno de seu grupo.

John fica indignado:

— Por que você nunca me deu um *warm fuzzy*?

— Eu não sabia que você queria um.

— Considere-se avisada!

— Bem, então prometo lhe escrever um.

Como sempre, é um desafio manter John focado no trabalho. Dá para notar que ele realmente quer melhorar, porém, é difícil para ele manter a concentração em qualquer coisa por mais de alguns minutos, especialmente quando estamos trabalhando aqui dentro. No High Line, a energia e a agitação da cidade parece que o acalmam, o que entendo muito bem, porque sou do mesmo jeito.

— Como você consegue ser tão extraordinária em todas as matérias? — John quer saber.

— Acredite em mim, não sou.

— Uh, é sim! Você é o polo acadêmico oposto a mim.

Ele pega sua prova de História novamente, balançando tristemente a cabeça para ela. O “61” em vermelho, rabiscado no alto da folha, olha feio para ele.

— Tenho certeza de que você nunca tirou um D em sua vida. Nem um B.

— Na verdade, tirei muitos. Tirei até zero.

— Sério?

— É.

— Por quê?

— Você também tirou um D. Ds acontecem.

— Mas não deveria acontecer com você. Você pode se dar bem em tudo que quiser.

— A palavra-chave é *querer*. Eu não quero viver em uma bolha, fazendo tarefa, estudando e me preocupando com as aulas. Não é meu estilo.

John está intrigado.

— O quê? — pergunto.

Ele nada diz, só balança mais um pouco a cabeça, tristemente. É tão esquisito! Primeiro, o senhor Peterson, depois, April e, agora, John. Será que eles, de alguma forma, planejaram se unir contra mim?

Depois de alguns exercícios de trigonometria, John pergunta:

— O que você quer ser quando crescer?

— Não sei.

Novamente ele balança tristemente a cabeça.

— Por quê? — pergunto. — Você sabe?

— Claro! — responde ele, com um tom sarcástico. — Vou ser assistente social para ajudar outros jovens como eu.

John é a última pessoa que eu esperava que tivesse tanta convicção sobre que carreira seguir. Eu achava que, no máximo, ele ia relaxar em algum curso técnico por um tempo. Estou sem graça por tê-lo julgado precipitadamente.

Na verdade, estou com um pouco de inveja. Adoraria ter esta mesma certeza, este mesmo: "Eu vou ser...", que é ainda mais consistente que o típico: "Eu quero ser...". Detesto não saber o que quero fazer! Eu quero saber. Só não sei como!

"Eu vim para cá por sua causa."

"Nós pertencemos um ao outro."

"Você está apenas começando a me conhecer, mas eu já estou apaixonada por você."

As várias formas de contar a Scott por que estou aqui invadem meu cérebro constantemente. Elas me mantêm acordada à noite e não vão se calar enquanto ele não souber a verdade sobre nós.

Chegou a hora.

Desde o passeio à lanchonete, ficou óbvio que Scott e eu temos uma conexão. Ele deve sentir isso também. Afinal, se duas pessoas têm uma verdadeira conexão, isso deve ser evidente para as duas! Tem mais uma coisa: pode ser que Leslie tenha saído de cena. Eu os vi juntos, depois da aula, outro dia, e ela não parecia feliz. E, mais importante, nem ele.

Depois da monitoria, Sadie me chamou para ir com ela ao Strawberry Fields hoje à noite, aquele lugar no Central Park sobre o qual ela tinha me falado. É a cara de Nova York, então, é claro que eu disse que iria. John escutou e disse que queria ir também. Adoro esse jeito espontâneo da garotada daqui. Na minha cidade, todos planejavam as coisas com bastante antecedência. Aqui, a cidade é nosso playground e podemos brincar todas as vezes que quisermos.

OK, talvez não *todas as vezes*. Os pais das outras pessoas nem sempre as deixam sair, mas meu pai não disse "não" para nada ainda. Geralmente, ele nem está em casa quando quero ir a algum lugar. Só deixo um bilhete para ele e vou. Como ele não entende muito bem sobre essa coisa de ser pai, está me tratando como adulta. E sei que não devo reclamar. Porém, mesmo que eu jamais admita isso a alguém, às vezes, é reconfortante ter regras.

Caminho pela rua de Scott para ir para casa. É o caminho que geralmente faço quando não saio para fazer alguma coisa com Sadie depois da aula. Todas as vezes que passo pelo seu prédio, olho para cima, me perguntando qual será a janela dele. Desta vez, ele está sentado no degrau da porta da frente, comendo *pretzels*.

— Ei, você! — diz ele.

Meu coração bate forte no peito.

— Ei! — digo eu.

— E aí?

— Nós vamos ao Central Park mais tarde.

— Nós quem?

— Eu, Sadie e John, da monitoria. Você quer ir?

— Vocês vão só passear ou...?

— Tem um lugar onde as pessoas se reúnem e tocam músicas dos Beatles. É bem em frente ao lugar onde John Lennon morou.

— É?

— É. Deve ser legal.

— Deve ser legal mesmo. Estou dentro!

— Que bom! — digo eu, torcendo para estar agindo com naturalidade. Isso é demais! Scott vai comigo. Nós podemos caminhar para casa juntos depois e, então, finalmente, vou contar a ele.

Se eu não vomitar.

Às seis, Sadie e John já estão esperando na estação do metrô.

— Scott vai conosco — conto a eles.

— Scott quem? — pergunta John.

— Scott Abrams. Provavelmente você não o conhece. Ele é novo.

— Eu sei quem é. Ele não é de New Jersey?

— É.

— Ele não é da mesma cidade que você?

— Hum, é.

— Ei, pessoal! — diz Scott, atravessando a rua. — Desculpem o atraso!

— Você não está atrasado — digo a ele.

John fica olhando para nós.

— Vamos! — diz Sadie, puxando John pelo braço.

Strawberry Fields é impressionante! É difícil explicar com palavras. É uma pequena clareira rodeada de árvores e bancos. No centro, tem um mosaico de azulejo no chão, onde está escrito: IMAGINE. Ramos de flores estão espalhados ao redor. Há gente por toda parte, algumas pessoas estão cantando junto com uns caras que tocam *Hey Jude* em seus violões, outras posam ao lado do mosaico, enquanto seus amigos tiram fotos, ou apenas passando por ali, absorvendo um pouco do ambiente.

Há somente um banco livre. Enquanto caminhamos até ele, noto que algumas garotas vêm do outro lado para se sentar ali também. Agarro o braço de Sadie e saímos correndo. Depois nos jogamos sobre o banco para guardar lugar para os garotos. John chega em seguida e força para se sentar entre nós.

— Ai! — grita Sadie.

— Desculpe! — diz John, saindo do banco.

Scott senta onde John estava. Como estou bem encostada em um cara *hippie* que está no banco ao lado, o único lugar que sobra para John se sentar é do outro lado de Sadie.

Sadie queria vir aqui hoje porque é aniversário de John Lennon. Deve ser por isso que está tão lotado! Na maior coroa de flores, há um cartão gigante em que está escrito: "Feliz Aniversário, John! Você viverá para sempre em nossos corações". Será que alguém aparece aqui à noite para levar embora os cartões e as flores?

Nenhum de nós conhece as músicas dos Beatles, exceto Sadie, mas John e eu cantamos juntos alguns refrões. Scott não canta nada.

— Você não conhece nenhuma música deles? — pergunto a ele.

— Conheço algumas. Só não canto.

— Nunca?

— Nunca.

— Por que... Você não gosta de sua voz?

— É que não tenho ouvido para música.

— Isso pode melhorar com a prática.

— Ah, sou um caso perdido!

John está cantando o refrão de *Let It Be* bem alto.

Chego mais perto de Scott. Nada pode ser mais intenso que estar assim tão perto dele.

— Nada pode fazer John parar — sussurro.

Scott ri. Adoro quando ele me acha engraçada! Eu nem sabia que alguém me achava engraçada até o dia em que Scott me disse isso, enquanto caminhávamos para casa. Por isso, é claro que agora estou sempre pensando em alguma coisa para fazê-lo rir.

— Estou no meu momento de Olhar para Cima — John espalha.

Eu sei para onde ele está olhando. É para um jardim incrível, no alto de um prédio, com árvores e grama alta como a do jardim zen. Ele aguarda a confirmação de que o topo do prédio é mesmo impressionante.

Ainda estou espremida ao lado de Scott. É impossível me concentrar em qualquer outra coisa.

A energia deste lugar é inacreditável. Todas essas pessoas estão reunidas aqui com o mesmo objetivo: render culto no altar de sua religião musical. É como se estivéssemos compartilhando, por algum tempo, de um reino secreto e especial, antes de voltarmos para nossas vidas normais e sem graça. Do outro lado das árvores, é possível caminhar ao longo do Central Park West e nem notar este lugar. Percebo que Nova York está repleta de diversos enclaves isolados, onde as pessoas se reúnem para celebrar o que as faz se sentirem vivas. Não existe nada parecido na minha cidade. Aqui, a animação nunca acaba. É como uma droga.

— Olha o Danny! — grita Sadie. — Adoro aquele garoto.

Ela aponta para um garoto que tem mais ou menos a nossa idade e que acaba de se unir ao amontoado de violonistas. Danny não parece tão à vontade com seu violão quanto os outros.

Eu me debruço sobre o colo de Scott.

— Quem é ele? — pergunto a Sadie.

— Nos encontramos na última vez que estive aqui. Ele estava começando a aprender a tocar violão, um pouquinho antes do verão. Nem acredito que ele já esteja tão bom.

Nós todos ficamos assistindo ao Danny. Ele derruba sua palheta.

— Isso é uma ligação amorosa? — John quer saber.

— O quê? Não! Ele tem namorada. De qualquer forma, não é meu tipo.

Sadie me dá uma olhada de lado.

Eu gostaria muito de arrastá-la ao Rite Aid, empurrá-la até Carlos e forçá-la a convidá-lo para sair. Como se eu pudesse falar alguma coisa! Aqui estou eu, espremida ao lado de Scott, sussurrando ao seu ouvido e ele nem sabe como me sinto em relação a ele. Estou ainda mais frustrada do que ela, mas isso vai terminar, mais tarde, quando eu ficar sozinha com Scott.

Quando vamos embora, encontro um jeito estratégico de caminhar para casa junto com ele.

— E aí, pessoal, vocês vão para casa? — pergunto, enquanto caminhamos até o metrô.

— Infelizmente! — diz Sadie. — Ainda tenho que resolver os exercícios de cálculo, você acredita?

Eu terminei esses exercícios rapidamente, por isso, faço uma cara de "Será que a senhora Jacobs conseguiria ser mais sádica?".

John me cutuca.

— Está uma noite linda para irmos ao High Line — diz ele. — Querem ir?

Olho rapidamente para Scott. Espero que ele não tenha visto John me cutucar.

— Humm...

— Não estou pressionando, eu vou de qualquer jeito, quero dizer, dã, eu moro ali, mas ficarei na rua por algum tempo.

— Eu iria, mas Sadie tem razão sobre a tarefa. É impossível.

Tanto John quanto Sadie olham para mim de um jeito estranho.

— O quê? — pergunto. — É impossível mesmo!

Que burrice! Tenho certeza de que, a essa altura, eles já sabem que nunca acho as tarefas impossíveis.

— Vocês não sabem o que estão perdendo — provoca John.

No metrô, indo para o centro, escuto apenas parcialmente a conversa, principalmente entre Sadie e John. Scott ficou meio quieto a noite toda. Estou tremendo na expectativa de caminhar sozinha com Scott quando chegarmos à nossa estação, graças ao meu plano perfeitamente executado para escapar de Sadie e John. John até desembarca antes, na 23$^{rd}$ Street, em vez de na 14$^{th}$ Street. Depois de sair do vagão, ele se inclina para dentro novamente, bloqueando a entrada.

— Última chance! — grita.

De todas as pessoas dentro do vagão que acabaram de ouvir John gritar, só uma olha para ele.

— Fica para a próxima — digo a ele.

— Promete?

— Prometo.

Toca o sinal de fechamento da porta. John se afasta rapidamente antes que a porta o esmague. A caminhada até o apartamento de Scott é estranha. Ainda estou tremendo. Estou tão nervosa com o que vou dizer e como vou dizer! Minha boca está seca. Sabia que deveria ter tomado água antes de sair do parque.

— Você está com frio? — pergunta Scott.

— Não, estou bem.

Eu poderia fazer um caminho mais curto até minha casa, mas falei para Scott que estava com vontade de andar um pouco mais.

Quando chegamos ao seu prédio, não tenho ideia de como começarei a me explicar.

— Então... estava legal — digo eu. — Você gostou?

— Gostei muito. Desculpe se pareceu que eu estava distante!

— Não, você não estava...

Ficamos ali nos degraus da frente do prédio, meio sem jeito: Scott em pé, um degrau acima, e eu me apoiando na grade. Tento nos imaginar como se esta fosse a cena de um filme, em que o perfeito final romântico está prestes a se desenrolar. Esta é a parte em que a garota conta ao garoto que está apaixonada por ele, e o garoto diz algo como: "Por que você demorou tanto tempo?" e, depois, acontece o primeiro beijo, aquele que você está esperando o tempo todo, e ele é tão perfeito quanto você esperava que seria.

Respiro para deixar a cena começar.

— É que... nós temos alguns problemas — diz Scott. — Coisas de família. Aconteceu uma coisa um pouco antes de me encontrar com vocês.

— Ah...

— É meu irmão, Ross. Ele é alcoólatra.

Que droga! Scott Abrams está mesmo me contando isso?

— Ele está fora, na faculdade. Ou estava. Abandonou o curso. Parou de ir às aulas, esse tipo de coisa. Ele tenta conservar os empregos, mas nunca consegue. Tem períodos que bebe demais e não aparece nas aulas...

Scott arranha seu sapato na escada.

— Depois liga para a minha mãe para pedir dinheiro. Ela costumava mandar um pouco, mas agora meu pai cansou. Ele isolou Ross totalmente, disse para ele não ligar mais.

— Isso é... ah, meu Deus!

— Nenhum de nós sabe o que fazer. Ele se recusa a ir para uma clínica de reabilitação e nunca durou mais do que algumas semanas no AA. Sou o único que ainda conversa com ele. Eu não quero, eu só... acho que devo. Você entende?

Balanço afirmativamente a cabeça.

— Então, é por isso que sei o que está acontecendo com ele. Ross acabou de perder mais um emprego.

— É por isso que você fica... assim? Às vezes, você fica meio triste e quieto na escola. É por isso?

— É. Não consigo fazer mais nada depois de falar com ele.

Scott passa os dedos no cabelo, olhando para baixo.

— OK, não tinha a intenção de descarregar tudo isso em você. Você deve estar...

— Não! Você está brincando? Fui eu que perguntei o que estava acontecendo, lembra?

— Obrigado por me ouvir e... tudo. Nunca falei com ninguém sobre Ross, acho que realmente precisava desabafar.

— Claro. Você pode desabafar comigo a qualquer hora.

Ele sorri, com tristeza.

— Eu sei que posso confiar em você.

— Fica entre nós.

Sentamos no degrau da escada do seu prédio em silêncio, observando as pessoas passando e as luzes piscando atrás das janelas. Acho que nós dois sentimos que seria estranho se eu fosse embora depois de tudo o que ele disse. Por isso, fico sentada perto dele, para que saiba que estarei sempre ao seu lado, sem precisar dizer nenhuma palavra.

# 16

**Está ficando frio.** Sabia que deveria ter posto um cachecol na minha bolsa antes de sair para a escola hoje de manhã. É o que Sadie teria feito. Ela sempre diz que eu deveria verificar a previsão do tempo todas as manhãs, mas realmente não consigo fazer isso.

— E aí, como ficou a tarefa? — pergunta John.

— Hum?

Tiro alguns livros e um caderno da minha bolsa e empilho tudo no banco grande e confortável que sempre tentamos pegar quando chegamos ao High Line. Pode ser que eu tenha um cardigã escondido em algum lugar aqui dentro.

— Aquela tarefa de cálculo que você tinha de fazer em vez de passear comigo?

— Eu terminei.

— Tenho certeza que sim.

Não tem nenhum cardigã dentro da minha bolsa. Está muito frio. Recado para si mesma: sempre traga um cardigã.

— Você recebeu seu teste de trigonometria? — pergunto.

— Nós deveríamos ter recebido hoje, mas Richards ainda não deu a nota. Você tem muita sorte por não precisar fazer aula de reforço de matemática.

— Ah, todas as aulas são chatas, pode acreditar.

— Por que você odeia tanto a escola?

Apesar do meu ódio pela escola não ser nenhum segredo, ninguém nunca me perguntou o motivo. As pessoas sempre encaram isso como uma coisa normal, porque todo mundo também odeia a escola.

— Todo mundo odeia — respondo.

— É, mas é porque as pessoas têm de se esforçar. Você, não.

— Todos nós temos.

— Não você. Sinceramente, alguma aula já foi difícil para você?

Esfrego meus braços, tentando esquentá-los.

— De onde está vindo tudo isso?

John olha para mim. Ele olha para mim durante tanto tempo que começo a ficar nervosa.

— De nenhum lugar — diz ele. — Esquece!

— Você tem algum problema com o fato de que estou dando monitoria para você, mas não tenho notas melhores?

— De jeito nenhum. Você é a primeira monitora de quem eu acho que realmente obtenho a ajuda que preciso. E olha que ninguém teve mais monitores que eu até agora. Você tem ideia do quanto sou sortudo por ter encontrado você?

A antiga Brooke não teria dado muita importância ao que ele acabou de dizer, mas a nova Brooke acha que o que John disse é muito legal.

— Obrigada! — falo para ele.

Nós trabalhamos um pouco, para que eu possa dizer ao senhor Peterson que não enrolamos quando estamos aqui. Eu quero explicar a tarefa para John de um jeito que ele realmente entenda. Às vezes, ele diz que entende, mas, quando chega em casa, esquece tudo.

John sempre faz um milhão de perguntas. A princípio, isso era extremamente irritante. Agora, eu o admiro. Ele é tão motivado! Apesar das dificuldades para se concentrar e para escrever, nunca desiste. Sua carreira é tão importante para ele que nada consegue atrapalhar.

— Você vai ser um assistente social muito bom — digo.

John levanta os olhos da folha de exercícios. Ele sorri para mim. Eu sorrio de volta, tremendo de frio.

— Toma — diz ele, enquanto tira sua blusa preta com capuz e me entrega. — Vista.

John está usando uma camiseta cinza lisa sobre uma branca, de manga comprida e quente. Eu não sabia que ele tinha camisetas lisas.

— Você não vai ficar com frio?

— Cara, eu moro bem ali. Se ficar com frio, vou buscar outra blusa.

Ele não está brincando. John tem uma extensa coleção de blusas com capuz.

Eu visto a blusa. É bem macia por dentro.

— Melhor? — pergunta John.

— Muito!

— Você acredita que nós já viemos aqui umas cinco vezes e nunca reparamos na melhor caixa-d'água elevada?

— Eu reparei. Comentei com você na última vez, ou na penúltima.

— Acho que não.

— Lembra que você ficou falando: "A caixa-d'água elevada com a torre grossa é a melhor!", e eu discordei dizendo que a estreita era melhor?

— E depois você concordou comigo sobre a torre grossa... Sim, me lembro.

— Não, eu não concordei.

— Ah, acho que concordou!

— Bem, então você está pensando errado.

— Isso é que é uma monitora que apoia. Quanto estão pagando para você mesmo?

— Muito engraçado.

— Agora é sério. Olhe para cima.

Se eu não olhar, John ficará me atormentando. Olho para cima.

— Qual, aquela pequena? Ela é bonitinha, mas é meio comum.

— Não é ela. — John se curva atrás de mim e aponta para que eu possa ver exatamente qual é a torre. — É ela.

Parece que ele está apontando para uma torre enorme, imponente, com vista para o rio.

— Mas essa é velha!

É uma coisa antiga, de metal escuro. Parece uma sombra de si mesma.

— Espere até ele aparecer — diz John.

— Quem?

— Ele.

Alguns minutos mais tarde, o sol passa por trás da torre. O efeito é como um eclipse total, com a torre bloqueando o sol. A luz irradia para fora com brilhantes raios vermelhos e laranja.

— Uau!

— Obrigado, eu mesmo providenciei isso!

— Como você sabia que isso ia acontecer?

— Depois de passar tanto tempo olhando pela janela, como eu, você nota tudo. — John examina o relógio. — Quatro e 37... pontualmente, para o dia 10 de outubro.

As coisas que John tem de suportar na escola devem ser muito difíceis de lidar. Sei o quanto os alunos podem ser cruéis com alguém que eles acham que é "devagar". Já ouvi os comentários na sala de aula quando os professores chamam um aluno que demora a entender as coisas. E nós todos já vimos crianças serem atormentadas porque são diferentes. John nunca me disse nada, mas dá para perceber que aguenta muito mais do que revela. Fico incomodada de saber que as pessoas o julgam, mas o que mais odeio mesmo é lembrar que eu costumava ser uma delas. Eu via a dificuldade dele em fazer até os exercícios mais fáceis e presumia que não era inteligente. Isso não é verdade. John é mais inteligente que a maioria das pessoas que conheço.

— Nós podemos ir até lá em cima — diz John —, se você quiser.

— Aonde?

— Àquele telhado. Aí você pode ver a caixa-d'água elevada de perto. É incrível, tem até uma escada por onde podemos subir.

— Adoro telhados!

— Claro que gosta. E aí... está pronta?

Nós vamos. John indica o caminho por algumas ruas em ziguezague e vai mostrando as portas de garagem de madeira polida, que antes eram a entrada de estábulos, e prédios que tinham abrigo contra poeira radioativa. Então ele diz:

— É aqui.

Não pode ser aqui. Eu estava esperando um cortiço caindo aos pedaços, com a porta de trás destrancada para podermos entrar de mansinho. Estamos diante de um prédio totalmente reformado. É de vidro e madeira, com um lobby luxuoso e um porteiro. Não nos deixarão entrar de jeito nenhum.

John toca uma das campainhas, acenando para o porteiro. O porteiro acena de volta.

— Você conhece o porteiro? — pergunto.

— Sou bem relacionado.

Alguém, que não é o porteiro, aparece. É um rapaz mais velho, vestindo uma camisa de trabalho marrom e jeans. Um paninho azul surrado está saindo do seu bolso traseiro. Tem uma argola enorme, cheia de chaves, presa ao cinto.

— Como vai, John? — pergunta ele.

— Tudo bem. Elias, esta é Brooke. Brooke, este é meu amigo, Elias.

— Oi! — cumprimento.

— Prazer em conhecê-la! — Elias diz, segurando a porta aberta para nós. Depois, nos leva ao elevador e nos deixa subir até o telhado.

— Como você conhece Elias?

— Era nosso zelador. Acho que este emprego é melhor para ele. Aqui ele tem um apartamento para morar e não paga aluguel.

Uma coisa legal sobre John é que seus amigos são, na maioria, pessoas mais velhas do bairro. Levei um tempo para descobrir quem eram os seus amigos porque, geralmente, não o vejo com ninguém na escola. Acho que ter amigos adultos deixa você com esta aura experiente. Durante as aulas de monitoria, John geralmente me conta alguma coisa fascinante que algum dos amigos fez. Fico aguardando suas histórias ansiosamente.

O telhado é mais que incrível. Nem consigo acreditar. Aqui em cima, no terraço, encontramos árvores enormes, flores, gramado, mesas e cadeiras, tudo projetado para parecer um jardim de alto nível. Só que é muito melhor que um jardim. Daqui, é possível ver tudo: a iluminação das ruas, as calçadas e as pessoas, além de muitos outros prédios. Eu poderia ficar aqui para sempre, observando a cidade respirar abaixo de nós, a noite virar dia e novamente virar noite.

— Isso é impressionante! — fico olhando, extasiada.

— Obrigado! Obrigado! Sem autógrafos, por favor! — John pega minha mão. — Venha aqui.

Nós vamos até a beira do telhado, que é contornado por um muro de cimento. O muro tem uma altura perfeita para você se apoiar sem ter a sensação de que vai cair. Então me apoio nele e olho para baixo, para as ruas. Ouço o barulho distante do tráfego, bem ao longe. Tento encontrar minha cidade, do outro lado do rio, sentindo uma enorme nostalgia. Não que eu queira mudar para lá novamente, mas uma parte de mim estará sempre lá.

Costumava ter uns sonhos intensos, em que eu observava a linha do horizonte de Nova York brilhando à noite. Nesses sonhos recorrentes, acordava no meio da noite, ia até a janela e puxava a cortina para o lado. Bem diante de mim, havia uma parede de prédios, todos enormes, com um milhão de janelas acesas brilhando para mim. Tão perto e, ao mesmo tempo, tão longe!

Agora estou aqui. E a energia da cidade está me deixando mais viva.

— Você está quieta — John comenta.

— Estou impressionada.

— Fiquei assim na primeira vez que subi. Passei a noite toda aqui só para ver o nascer do sol.

— Cale a boca! Eu estava pensando exatamente nisso.

— Nós podemos fazer isso quando você quiser.

— Sua mãe permite que você fique fora a noite toda?

— Tenho certeza que ela abriria uma exceção. Não fui totalmente sincero com ela da última vez. Acho que falei que ia passar a noite na casa de um amigo. E seu pai? Ele a deixaria passar a noite fora?

— Como se ele reparasse! — Paro de observar a vista e olho para John, que está debruçado no outro muro perto de mim. — Sempre quis morar aqui.

— Jura?

— É verdade, há muito tempo.

— É por isso que você se mudou?

Como devo responder? Quero dizer, é e não é. Se eu não quisesse tanto morar em Nova York, será que teria vindo atrás de Scott? Ou será que o segui porque há muito tempo morar aqui era o que eu queria?

— Não exatamente — respondo.

John não me pressiona. Ele diz:

— Você está diferente de quando chegou aqui. Você era... você está mais condescendente, acho.

— Muito obrigada!

— Você sabe que, quando nos conhecemos, você era mais mal-humorada. Hoje já não é mais tanto assim.

Ele está certo. É a energia. O fato de que aqui tudo é possível me faz querer ser uma pessoa melhor.

Lá em New Jersey nunca me senti verdadeiramente em casa. Eu vivia irrequieta, precisando da agitação da vida na cidade grande. Agora estou cercada de tudo que sempre desejei. E, o melhor de tudo: eu me sinto como se, finalmente, tivesse encontrado meu lugar.

# 17

**A ligação da minha mãe** é assim:

Mãe: "Como estão suas notas?"

Eu: "Eu já te falei. Nós só vamos pegar o boletim na próxima semana."

Mãe: "Isso não é motivo para não saber se você está indo bem. Você não pode perguntar aos professores?"

Eu: [suspiro exasperado] "Ninguém faz isso. Os professores não querem ser incomodados."

Mãe: "Não é incômodo. É o trabalho deles."

Eu: "Vou esperar o boletim."

Mãe: "Você deve ter uma ideia de como está indo. Você não disse que é monitora agora? Não é necessário ter notas boas para isso?"

Eu: "Sim, estou tirando notas mais altas, então..."

Mãe: "Mais altas quanto?"

Eu: [pausa] "As primeiras médias não foram as melhores."

Mãe: "Ruins quanto?"

Eu: "Não foram ótimas."

Mãe: "Primeiro, você me diz que quer se mudar porque um ambiente acadêmico melhor motivaria você. Agora, me conta uma história diferente!"

Eu: [silêncio]

Mãe: "E então você vai me dizer que morar com seu pai está dando certo!"

Eu: "Está bom".
Mãe: [bufa] "Acho difícil acreditar nisso".

Não vou contar a verdade sobre mim e papai, de jeito nenhum. Toda a mágoa que está por baixo das superfícies brilhantes do meu novo quarto; todas as coisas que não dizemos, encobertadas por conversas educadas.

Todos nós escondemos alguma coisa. Até a família de Scott, que, de fora, parece totalmente normal, tem um segredo crucial. Ele poderia ter contado para tantas pessoas, mas, por alguma razão, decidiu contar para mim. Scott sabe que pode confiar em mim. Ele precisa de mim tanto quanto preciso dele. Quero que ele saiba que pode contar sempre comigo, que podemos nos ajudar de um jeito que mais ninguém pode.

Que pertencemos um ao outro.

Pego minha caixa de desejos e leio todos os bilhetes que escrevi para mim. Muitos deles foram escritos muito antes de me mudar para cá. Agora aqui estou eu, com Scott na rua ao lado. Uma parte de mim quer manter o segredo e apenas ver como as coisas se desenvolvem entre nós. Tenho muito medo de contar a ele. Tenho medo de que ele não se sinta da mesma forma e, aí, nem amigos seremos. Mas então me lembro do "Saber".

Hoje, mais do que nunca, sei que pertencemos um ao outro. De repente, sou dominada por uma sensação de urgência. Não consigo sair do meu quarto suficientemente rápido. Corro com aquela sensação eletrizante de sexta-feira à noite me impulsionando. Atravesso a noite até sua rua com o coração disparado. Tudo que importa é finalmente ficarmos juntos.

Quando chego ao seu quarteirão, ando mais devagar. Aliso os cabelos. Tento regularizar a respiração.

Toco sua campainha.

Meu coração acelera novamente. Respiro profundamente.

— Quem é? — pergunta ele pelo interfone.

— Sou eu, Brooke.

Ele abre a porta, mas não posso entrar. Provavelmente seus pais estão em casa e de modo algum posso dizer o que tenho para dizer na frente deles. Os apartamentos em Nova York têm zero de privacidade. Até para ir ao banheiro sem que ninguém saiba o que você está fazendo é um desafio. De qualquer forma, não posso arriscar contar para Scott em seu quarto. E se ele não sentir a mesma coisa por mim? Conseguir fugir rapidamente é essencial.

Toco a campainha de novo.

— A porta não está funcionando? — Scott pergunta pelo interfone.

— Você pode descer?

— Ah, sim. Só um minuto.

Fabuloso. Eu provavelmente interrompi uma conversa profunda com Leslie. Pode até ser que ela esteja lá com ele. Talvez eu deva ir embora. Posso lhe dizer que esqueci que precisava ir a algum lugar.

Scott abre a porta. Meu estômago vira.

— E aí, vizinha? — diz ele.

Abro a boca para dizer “oi”, mas não sai nada.

Ele repete:

— E aí?

Chegou a hora. A Hora que deveria ter sido a Hora no piquenique do segundo ano, ano passado. A Hora que passou da hora há muito tempo.

— Leslie é sua namorada? — pergunto.

Eu não tinha a intenção de começar assim, saiu sem querer.

— Não exatamente — responde ele. — É complicado.

— Complicado quanto?

Scott pensa.

— Vamos dizer apenas que temos divergências.

Isso poderia ser tanto uma boa quanto uma péssima notícia. Será que queria dizer que ele é quem está levando as coisas mais a sério? Ou será que é Leslie? Se eu tivesse de adivinhar, diria que é Leslie.

Espero que eu esteja certa.

— Vim aqui por sua causa — digo eu.

— Humm... é, legal. E aí, você queria comer um sanduíche ou...?

— Não, quero dizer... eu vim para Nova York por sua causa. Mudei para cá para estar com você.

— Você mudou para cá por minha causa?

Faço que sim com a cabeça.

— Por quê?

— Porque... Tudo bem, sei que vai parecer esquisito, já que não nos conhecíamos antes, mas sentia que, se você me conhecesse, compreenderia que nós pertencemos um ao outro.

— Mas nós mal nos conhecemos!

— Não, eu sei. Sei que é estranho.

— Uau, isso é... demais!

— Desculpe, não tive a intenção de deixá-lo sem ação.

— Não sei o que dizer.

— Tudo bem. — Lágrimas fazem meus olhos arderem. — Eu vou... preciso ir!

Se Scott quisesse ficar comigo, estaria me dizendo isso nesse momento. No entanto, ele não diz nada. Está parado ali, olhando para qualquer lugar, menos para mim.

Eu.

Estou.

Envergonhada.

— Você não precisa ir embora — diz Scott.

— Tenho de ir.

Vou para casa o mais rápido que consigo. Quero correr, mas estou chorando. Correr e chorar não combinam muito bem. Aprendi isso a duras penas.

Então é assim que nos sentimos quando nosso coração se despedaça.

Não acredito. "O Saber" me traiu. Tudo o que achava que era verdade é mentira. Não que eu esteja surpresa, é a história da minha vida!

É difícil perceber quanto tempo se passou quando tudo o que se quer é que o mundo vá embora. Só quero ficar escondida aqui, no meu quarto, para sempre. Já chorei até a metade da caixa de lenços de papel. Desta vez, estou achando ótimo que papai só venha para casa bem mais tarde.

A campainha toca.

Não vou atender de jeito nenhum. Chorei tanto que meu rosto está todo inchado e os olhos estão vermelhos. Se eu ignorar quem quer que seja, a pessoa vai embora.

Só que ela não vai. A campainha continua tocando. *Tão* irritante! Por que não me deixam em paz? O que querem comigo?

Quando a campainha toca pela bilionésima vez, vou até lá a passos largos e abro rapidamente a porta, nem pergunto quem é.

É Scott.

Ele não diz nada. Ele não tem de dizer nada. Ele passa os braços em volta das minhas costas e me puxa para perto dele.

Quando me beija, cada um dos meus sonhos se realiza.

# 18

**Scott Abrams me beijou** ontem à noite.

Preciso ficar reprisando o beijo para me convencer de que realmente aconteceu. Não que eu consiga pensar em qualquer outra coisa! Scott veio aqui em casa. Scott realmente me beijou.

"O Saber" estava certo o tempo todo.

Depois que ele me beijou, não o convidei a entrar, nem nada. Estava emocionada demais com a enormidade de tudo isso para acessar minhas habilidades pensantes. Scott só disse: "Até amanhã!" e eu fiquei observando enquanto ele ia embora. Finalmente, ele se virou para ver se eu ainda estava ali. Eu estava. Pude ver seu sorriso bobo no meio do quarteirão.

Como se tudo já não fosse suficientemente maravilhoso, nós vamos sair hoje à noite. Tudo bem, não é exatamente um encontro de namorados. Vamos fazer uma coisa para a escola, com Sadie e John. É um projeto para a Caixa, para o qual pesquisaremos como o conhecimento da cultura popular cria vínculos sociais. Aproveitei a ideia de John. Ele vai à noite dos conhecimentos gerais em uma cafeteria chamada The Situation Room. Quando me contou que seu time não conseguiu se reunir para a noite dos conhecimentos gerais deste mês e é preciso de, no mínimo, quatro pessoas para jogar, achei que seria perfeito se nós quatro formássemos um time.

Sadie e eu combinamos de ir à cafeteria juntas, mas ela ligou dizendo que nos encontraria lá e não disse por quê. Espero que seja porque ela está no Rite Aid convidando Carlos para sair. Seria muito legal, pois poderíamos ter um namoro duplo. Mas estou irritada porque queria lhe contar sobre Scott durante o trajeto. Ontem à noite, estava muito tarde para ligar e contar o que tinha acontecido. E eu estou louca para contar tudo para ela, desde o começo, dois anos atrás.

Eu já estou esperando no degrau da porta da frente de Scott quando ele sai.

— Legal! — diz ele.

Desde que Scott me beijou, fico me perguntando quando me beijará de novo. Na verdade, estou mais do que me perguntando, estou obcecada. Poderia ser agora mesmo! Para o caso de isso acontecer, já chupei um monte de balas de hortelã. Meu hálito está com frescor de hortelã. O The Situation Room fica a cinco quadras de distância. Não temos muito tempo se ele quiser me beijar novamente antes de chegarmos lá, ou se quiser me dar a mão. Por que ele não tenta me dar a mão?

— Então — diz Scott —, fiquei feliz por você ter vindo ao meu apartamento ontem à noite.

— Estou contente por *você* ter ido ao meu.

— É?

— Completamente.

— Achei que... quando você me contou sobre a mudança para cá e tudo, isso foi... demais. Ninguém nunca tinha feito nada assim por mim.

— Bem, não consegui evitar. Eu me importo com você.

— Então, isso me deixa impressionado. Nós nem nos conhecíamos direito na nossa cidade.

— Você não sabia nada sobre mim.

— Sabia que você fazia origami.

— Verdade.

— E que você era bonita.

— *Era* bonita?

— É bonita.

— É verdade?

Scott olha para mim.

— É verdade.

Ele tira um fio de cabelo do meu rosto, o que é quase tão bom quanto ficar de mãos dadas.

John guardou uma mesa para nós. Ele está acenando freneticamente, espremido entre duas mesas lotadas, atulhadas de bagunceiros viciados em conhecimentos gerais.

— Você está vendo John em algum lugar? — pergunta Scott, tentando não rir.

John acena ainda mais freneticamente.

— Quem, John? Hum, não! Ele já está aqui?

— Acho que não.

Continuamos olhando para todos os lugares, menos para John. Ele está fora de sua cadeira agora e, por pouco, não acerta a cabeça de uma garota enquanto seu braço se move rapidamente por cima dela, desesperado.

— Ah, olhe, lá está ele! — digo eu.

— Muito engraçado — John diz, bravo, quando chegamos à mesa. — Não é permitido ficar guardando mesa por tanto tempo. Poderíamos ter ficado sem.

— Desculpe — falo eu. — Estamos atrasados?

John consulta o relógio.

— Três minutos — resmunga.

— Não sabia que eles eram tão rígidos — diz Scott.

John pergunta:

— Onde está Sadie?

— Não sei — respondo. — Mas ela disse que nos encontraria aqui, portanto, não se preocupe.

— Se ela não estiver aqui em aproximadamente dois segundos, teremos de desistir do jogo.

— Relaxe! — diz Scott. — Ela vai chegar.

— Mas e se...

De repente, Sadie chega, abrindo caminho, aos empurrões, no meio do público.

— Desculpe, desculpe! Eu estava...

— Bem-vindos à noite dos conhecimentos gerais no The Situation Room! — a voz do moderador ressoa ao microfone.

Ele está em um pódio, próximo ao balcão da frente. Presa no pódio, há uma pequena lâmpada para leitura. Em seu crachá adesivo, está escrito: OI! MEU NOME É BILL.

— Minha competente assistente, Amanda, vai passar pelas mesas para registrar os times de quatro a seis jogadores. Quatro a seis jogadores, garotos e garotas! Não deixem de pegar, com ela, o formulário de respostas e os lápis.

— Quais serão as categorias, você sabe? — pergunto a John.

Já ouvi tanto sobre sua noite dos conhecimentos gerais que sei como funciona. São dez rodadas de perguntas. Cada rodada tem sua própria categoria. Algumas categorias são gerais, como Geografia, enquanto outras são mais específicas, como "Os castelos europeus". Geralmente são duas categorias sobre cultura popular, o que justifica o uso do jogo em nosso projeto.

— Cada rodada consiste em dez perguntas, e um total geral de cem perguntas surpreendentes, capazes de deixá-los aturdidos — Bill explica. — Qualquer pessoa do time pode registrar a resposta final no formulário de respostas. Só serão consideradas as respostas deste formulário. Se mais de uma resposta for marcada para a mesma pergunta, nenhuma delas será considerada.

— O que ganhamos? — um garoto do fundo grita.

— Prêmios — grita Bill de volta. — O primeiro prêmio é uma rodada de bebidas grátis para todos do seu time e mais uma camiseta do Situation Room para cada um!

Buzinadas de todos os lados. Que bando de fanáticos! Quem mais ficaria empolgado com uma camiseta de baixa qualidade e um pouco de café?

— Os segundos colocados receberão bebidas grátis e prêmios Cracker Jack![9] — continua Bill. — O terceiro prêmio é um lanche saboroso.

— Temos que dividir o lanche? — o garoto do fundo grita.

Bill diz:

— Parece que está na hora de ligar as células desses cérebros!

John está empolgado. Quando John fica nervoso, é ainda mais difícil se manter sentado, quieto. É como se toda sua energia estimulasse um frenesi impossível de ser controlado. Ele está movimentando a perna sem parar, fazendo a cadeira chacoalhar.

Ele me entrega o formulário de respostas.

— Quer ter a honra? Você escreve nossos nomes?

Na tampa da caixa, escrevo:

*Scott Abrams*
*Brooke Greene*
*Sadie Hall*
*John Dalton*

— Que nome daremos para o time? — pergunto a John.

— O que você quer colocar?

— Não sei. Qual é o nome habitual do seu time?

— Retículo Endoplasmático.

Olho para Scott e Sadie.

— Alguma sugestão?

— Blood Sugars? — sugere Sadie.

— Por quê?

— Porque adoro essa banda. E soa legal.

— Acho que nosso nome deveria ser mais significativo — diz John. — Deveria ser alguma coisa que nos descrevesse.

[9] Petisco que consiste em pipocas e amendoins caramelizados, conhecido por ser empacotado com um pequeno prêmio dentro (N. T.).

Scott pergunta:

— E... o que somos?

Aí está uma pergunta que estou louca para lhe fazer. Nós estamos aqui, sentados com nossos amigos que ainda nem sabem sobre nós. Por que Scott não lhes conta que estamos juntos? Será que ele quer manter isso em segredo? Ele nem tocou em mim durante todo o tempo que estamos aqui, exceto por um segundo, quando seu cotovelo bateu acidentalmente no meu braço.

— Somos dois de Nova York e dois de New Jersey — Sadie decide.

— Que tal Dois Novos? — sugere Scott.

John pensa um pouco.

— É o seguinte: por ora, ficamos com este e, se pensarmos em alguma coisa melhor, podemos mudá-lo.

— Está bem para mim — digo, escrevendo o nome.

— Primeira rodada! — soa a voz de Bill ao microfone. O microfone revida, com um agudo ruído de retorno. — A categoria é... "Os dez mais".

As primeiras perguntas são obscuras. John escreve algumas respostas e nós três estamos completamente perdidos.

Então Bill diz:

— A quarta pergunta tem quatro partes. Que programa dos anos 1980 apresentava, em todas as noites, listas dos "Dez Mais" e em que ano estreou?

— *Letterman*! — sibila Sadie.

— *The Late Show* — acrescenta Scott, alcançando o lápis de John.

— Não — eu falo, alto demais. Depois me curvo por cima da mesa. As mesas estão tão juntas que os outros times poderiam nos espionar. — Tinha outro nome antes — explico, baixando a voz. — Era *Late Night with David Letterman*.

— Tem certeza? — pergunta John.

— Esta é minha. — Escrevo no formulário, agitada com a adrenalina de saber a resposta. — Estreou em 1982.

— Fenomenal! — diz John. — Não tinha a menor ideia.

— Isto é perturbadoramente difícil — comenta Sadie.

Scott se curva na minha direção e sussurra:

— Foi ela quem disse!

Dou muita risada. Sadie e John olham para nós.

— O quê? — pergunta John.

— É uma coisa do *Office* — digo a ele.

Dou um tapa no braço de Scott.

— Ai! — diz ele.

— Até parece.

— *Até* parece — debocha ele.

Não sei por que ele está sendo tão imaturo, em vez de agir como parte de um casal. Eu quero pular em cima da mesa, mandar Bill pôr um foco de luz em mim e anunciar para todo mundo que Scott e eu estamos juntos. Mas não acredito que Scott faria nada disso.

Após as cinco primeiras rodadas, tem um intervalo. As pessoas fazem fila no balcão para mais bebidas. Alguns garçons circulam tirando as canecas e os copos vazios das mesas. Um deles estende a mão para pegar minha caneca, do outro lado da mesa.

— Cerveja aquela caneca — diz Scott.

Passo minha caneca para o garçom, tentando conter o riso. Não sei quem é essa garota passando a caneca e tentando conter o riso. Só sei que adoro nossas piadas confidenciais sobre *Office*. É como se tivéssemos nossa própria língua ou algo assim.

— Tem alguma razão para guardarem as boas piadas só pra vocês? — pergunta Sadie.

Queria muito contar para eles sobre nós. Olho de relance para Scott, levantando as sobrancelhas para ele, como quem pergunta: "Posso contar para eles?". Ele encolhe os ombros, despreocupado.

— Humm — eu comprimo os lábios para conter as risadinhas. — Nós estamos... juntos agora.

— Assim... *juntos* juntos? — pergunta Sadie.

— *Juntos* juntos — confirmo.

— Quando aconteceu isso? — pergunta John.

— Ontem à noite — respondo, olhando fixamente para Scott. Percebo que estou parecendo uma garotinha. Ainda não consigo acreditar que é verdade.

— É muito legal! — diz Sadie efusivamente. — Vocês dois são tão bonitinhos juntos!

John fica olhando fixamente para mim.

— Ah! — diz Sadie. — Quase esqueci. — Ela vasculha a bolsa enorme e tira algumas amostras de hidratante corporal Bliss. — Para você.

— Obrigada! Adoro isso. — Passo um pouco de hidratante nas mãos.

— Tem um cheiro gostoso — observa Scott.

John me encara mais um pouco.

As coisas pioram quando a próxima rodada começa. Estávamos indo muito bem antes do intervalo. John conhece muitos fatos aleatórios. Teve uma rodada sobre "Clássicos Literários" em que fui bem, não que me interesse por clássicos literários, mas me lembro de quase tudo daquele tédio das aulas de inglês do passado. Comparando com Scott e Sadie, nós sabíamos um pouco mais, mas agora as coisas ficaram diferentes. Ninguém sabe nada sobre presidentes mortos. A rodada seguinte é sobre "Ciências na cidade". John estava me falando sobre o Manhattanhenge[10] outro dia, por isso, quando Bill pergunta: "Quais são as duas datas em que acontecerá o Manhattanhenge no ano que vem?", eu empurro o formulário de respostas para John, toda empolgada porque, finalmente, sabemos alguma coisa novamente.

Só que John fica ali parado, olhando para o lápis.

— Oi! — digo eu. — Você estava me contando sobre o Manhattanhenge esses dias.

— Eu estava?

[10] Alinhamento do sol com as ruas de Nova York (N. T.).

— Vamos lá! Sei que você sabe isso!

John me olha com cara de derrotado.

— Dá um tempo! — diz ele. — Nós não estamos na monitoria.

Ele não escreve nada.

Tento responder baseada no que ele me contou. Todos os outros bebem seus cafés em pequenos goles.

Não é nem um pouco constrangedor!

— Vocês duas planejaram esta combinação? — pergunta Scott, apontando para mim e para Sadie. Estou vestindo uma camiseta prateada brilhante, com um cardigã preto, e Sadie veste uma camiseta preta brilhante, com um suéter curto, cinza.

— Não — responde Sadie. — Tem muita coisa que Brooke se esqueceu de me falar.

Seus olhos estão gritando: "Eu não acredito que você não me contou sobre Scott!". Tento fazer meus olhos dizerem: "Cara, vou contar mais tarde!", mas é muito difícil comunicar isso com um olhar.

A próxima rodada envolve uma cesta de pimentas. Cada pimenta está etiquetada com um número. Temos que identificar cada tipo.

— Por favor, me diga que um de vocês sabe alguma coisa sobre pimentas — implora Sadie.

— Desculpe — diz Scott —, estou fora.

— A número quatro deve ser "jalapeño" — sugiro.

John olha feio para as pimentas.

— Espere. — Sadie pega a número sete. — Acho que esta é pimenta caiena. Minha mãe às vezes nos tortura com elas, quando está a fim de fazer arte culinária.

Escrevemos nossos melhores palpites. John puxa o papel e escreve "serrano" para a número nove.

Quando a última rodada começa, fico aliviada que está quase na hora de ir embora. John está totalmente calado. Quero dizer, provavelmente, para Scott e Sadie, ele está bem, mas sei que alguma coisa está errada. Seu nível de energia está baixo. Na verdade, ele está sentado quieto.

Agora é uma rodada de som em que Bill vai tocar clipes de três segundos de cada música. Precisamos gravar tanto o título da música quanto o nome do músico. Os dois primeiros clipes são impossíveis. Quando a terceira música começa, Scott e eu falamos juntos: "Eu sei esta!" e então rimos muito, pedindo a folha de respostas aos gritos e brigando por um lápis.

Teria sido muito agradável se o time Dois Novos (não pensamos em nome melhor) tivesse vencido. Porém, não vencemos, nem chegamos perto. Aqueles times da noite dos conhecimentos gerais são duros na queda. Também teria sido muito agradável se eu pudesse passar o resto da noite sozinha com Scott, mas seu irmão deve ligar logo e Scott disse que realmente não estava com vontade de passear. Estava esperando que ele fosse me beijar antes de sair, o que também não aconteceu. Ele só me deu um abraço rápido e foi embora. John ainda estava de mau humor quando partiu. Então ficamos somente Sadie e eu, caminhando juntas para casa.

— Por que você não me contou sobre Scott? — grita Sadie.

— Era muito tarde para ligar para você ontem à noite. Eu ia contar no caminho para cá.

— É tão legal que vocês dois estejam juntos.

— Eu sei.

— Como aconteceu? Conta tudo.

Conto tudo a ela.

— Isso — diz Sadie — é profundo. Você se *mudou* para cá por ele! Que romântico!

— Estou aliviada por ter dado certo.

— Vocês realmente pertencem um ao outro. Não que eu esteja surpresa.

— O que você quer dizer com isso?

— Apenas que eu sabia que você gostava dele.

— Como?

— Humm, porque a vi na mesma sala que ele...? É meio óbvio.

Isso é novidade. Achei que estava sendo discreta.

— Por que você não me disse que sabia? — pergunto.

Sadie tira um pacote de chiclete. É aquele com listras de arco-íris e com uma girafa.

— Não era da minha conta. Achei que se fosse para eu saber, você me contaria. E depois que concordou em ser monitora, não queria pôr tudo a perder.

— Depois que você me *atormentou* para ser monitora.

— Não atormentei.

— Atormentou sim.

Sadie masca o chiclete e me oferece um. Pego um verde.

— OK, talvez eu tenha corrido atrás do seu grande cérebro porque sabia que você se sairia muito bem. Você tem de admitir que é divertido, certo?

— Humpf!

— Isso é um sim?

— Talvez.

— Ah, você gosta!

Na esquina, um ciclista passa voando por nós e, por dois milímetros, não acerta nossos narizes. Meu coração dispara com o contato tão próximo com a morte. Sadie nem se incomoda.

— Você é tão sortuda! Eu queria muito que Carlos aparecesse na minha porta e me beijasse.

— Bem, talvez ele viesse, se soubesse que você gosta dele.

— Por que temos que fazer tudo?

— Scott não *disse* que gosta de mim. Quero dizer, suponho que ele goste de mim porque me beijou, mas o que aconteceu hoje à noite? Ele nem tocou em mim! E quando foi embora só disse um: "Até mais", como se eu fosse apenas uma amiga.

— Pelo menos você é amiga dele. Carlos nem sabe que eu existo.

Sadie atravessa a rua correndo, no meio do quarteirão. Eu corro atrás dela. Estou me acostumando com seu jeito frenético de caminhar, mas ainda é impossível prever onde ela vai ziguezaguear em seguida.

— Ele sabe que você existe — digo. — É impossível que você fique toda nervosa perto dele, como fica, sem que ele perceba que você existe.

— Mas e se ele não souber? E se eu convidá-lo para sair e ele perguntar: "Nós nos conhecemos?".

— Você nunca vai saber a menos que...

— Ou, pior, e se ele tiver namorada? Eu estaria me humilhando totalmente por nada.

— Não é por nada.

— Para ele, é.

— Só porque você não está dando uma chance para que ele transforme isso em alguma coisa. Se eu me convencesse de que nunca aconteceria nada com Scott, nem estaria aqui neste momento! Você acha que eu não estava com medo de me mudar para cá, estudar em uma escola nova, não conhecer ninguém, morar com meu pai depois de ficar sem vê-lo durante seis anos? Todos nós temos medo que as pessoas nos desapontem. Você acha que conhece alguém e aí...

— Não acredito que veio aqui atrás de Scott. Você correu um grande risco. Você é tão mais corajosa que eu!

— Não, não sou. Apenas nunca deixei de acreditar no meu querer, que ele poderia virar realidade.

Este sonho se concretizou. A possibilidade de que outros também se realizem faz com que eu queira transformar em realidade todo o potencial presente na minha vida.

# 19

**Esses casais que comemoram** coisas ridículas como aniversários de um mês costumavam me irritar: um mês... é mesmo? Estar junto há um mês merece mesmo uma comemoração? Profunda conquista, não é?

Mas agora que sou parte de um casal, as coisas são diferentes. Não acho nem um pouco ridículo comemorar nosso aniversário de um mês. Não que eu tenha contado para Scott que é isso que estamos fazendo hoje. Eu tinha esperança que ele mencionasse o assunto. Como não falou nada, decidi guardar a comemoração só para mim. Não sei muito bem por que não contei a ele. Talvez estivesse com medo que ele achasse besteira.

Meados de novembro normalmente não é o melhor período para atividades ao ar livre. No entanto, hoje está inesperadamente agradável. Scott e eu exploramos uma nova região toda semana. Hoje é o Union Square. Nós caminhamos durante meia hora por aqui e já comprovamos que é um território altamente explorável. Toda aquela esquisitice de quando Scott não me beijava, nem ficava de mãos dadas comigo, passou. Só consigo pensar em transar com ele. Tudo que mais desejo é a próxima oportunidade de transarmos. Os momentos do dia em que não estou beijando Scott são insuportáveis.

— Vamos ali dentro — propõe Scott.

— Onde? No playground?

— Como se você nunca tivesse vontade de balançar.

— O tempo todo. Como você sabe?

Scott me aperta delicadamente de encontro à cerca.

— Eu conheço você — responde.

Ele me abraça forte e me beija.

Uma mãe, passando com duas crianças, olha feio para nós.

— Acho que deveríamos esperar — digo eu.

— Detesto esperar.

— Eu sei.

Na entrada para o playground tem uma placa em que está escrito que é proibido entrar, exceto se estiver acompanhando uma criança. Como ninguém nos vê, entramos rapidamente.

— Nossa! — Scott corre na frente.

Eu o sigo:

— Alto-falantes!

— Ah, eu adoro isso!

Não brinco com alto-falantes há uma eternidade. Todas as vezes que fazíamos uma viagem de campo para o museu de Ciências, eu os monopolizava. Como é legal que, em Nova York, tenha esses brinquedos em playgrounds!

Assumimos o controle dos alto-falantes. Conto a Scott que eu costumava monopolizá-los. Ele me fala o que vai fazer comigo quando voltarmos ao seu quarto.

Se nós pudéssemos ficar em seu quarto para sempre, não teria absolutamente nenhum problema para mim.

Bem, talvez tivesse. Passamos quase o tempo todo no seu quarto ou no meu. Meu quarto é melhor porque meu pai sempre trabalha até tarde, mas adoro ficar no de Scott. Só que temos de inventar desculpas mais criativas para estarmos ali. Não tenho tanta certeza que sua mãe acredita que passamos todo o tempo fazendo tarefa.

Quando eu pensava em como seria namorar Scott, imaginava as coisas muito diferentes: nós teríamos muito em comum, nunca ficaríamos sem assunto para conversar, sairíamos bastante e faríamos aqueles animados passeios noturnos pela cidade com os quais eu costumava sonhar. Mas não está acontecendo desse jeito. Nós raramente vamos a qualquer lugar e às vezes ficamos sem ter o que dizer (e isso é incrivelmente constrangedor). Não parece que nosso relacionamento esteja indo para frente. Será que posso chamar isso de relacionamento se é, principalmente, uma coisa física?

Quero dizer a Scott como estou me sentindo, mas não quero que ele fique bravo. A parte "ir embora" vem depois da parte "ficar bravo".

Ninguém está no gira-gira. Sento nele, enquanto Scott o segura e corre para fazê-lo rodar.

— Nós deveríamos sair mais — sugiro eu.

Scott discorda:

— Nós saímos.

— Sim, mas...

— Nós fomos ao cinema.

Sim, uma vez. Não faz sentido. Duas pessoas, como nós, que gostam tanto de morar aqui não deveriam sair mais? Adoro quando ficamos sozinhos, mas, às vezes, parece que Scott só quer estar comigo fisicamente. Não temos uma boa relação emocional, não conversamos sobre assuntos que eu acreditava que conversaríamos. Acho que é porque não temos tanta coisa assim em comum. As pessoas sempre dizem que isso é muito importante, mas não acho que seja um problema. Nós temos química. Não é esta a parte mais essencial de um relacionamento? Sem química, somos apenas amigos. Nós, sem dúvida, produzimos faíscas. E a parte da transa é a que eu mais aguardo, então por que tenho de me incomodar se não fazemos mais coisas juntos? E daí se as coisas não são da forma como imaginei que seriam? E alguma vez são?

Talvez seja melhor me concentrar no que tenho em vez de me preocupar com o que não tenho. Por exemplo, o fato de irmos para o apartamento de Scott e que não haverá ninguém lá durante duas horas.

Assim que ele abre a porta do prédio, começamos a nos beijar. Subo as escadas de costas, com Scott me beijando o tempo inteiro.

Quando chegamos à porta, Scott vasculha a mochila para pegar as chaves ainda me beijando. Escuto as chaves caírem no chão.

— Pode ser que eu precise parar de te beijar para pegar as chaves — sussurra Scott, com os lábios ainda nos meus.

— Você tem três segundos.

Ele se abaixa para pegar as chaves e recomeça a me beijar imediatamente.

O quarto de Scott tem um poderoso efeito sobre mim. Só de entrar aqui uma irresistível expectativa é desencadeada. Não consigo acreditar que finalmente estou aqui, dentro da casa dele.

Adoro todas as fotos que Scott tem de sua família. Em uma delas, ele está com aproximadamente 4 anos de idade, abraçando seu cachorro, Snuffleupagus. Sempre fico com vontade de chorar quando a vejo. Há fotos de Scott fazendo *rafting* numa corrente de águas cristalinas e escorregando de *snowboard*. Ele tem um pôster de PJ Harvey[11] e canhotos de um ingresso para o show do Demetri Martin[12]. Scott insiste em dizer que Demetri Martin é o comediante mais engraçado do mundo. Assisti ao seu show no Town Hall na internet e concordo. Ele faz uns esquetes muito engraçados, toca uns instrumentos esquisitos e entende as coisas do jeito que eu entendo. Do jeito que *nós* entendemos.

Agora, nós somos *nós*.

Assim que chegamos ao quarto de Scott, ele tranca a porta. Eu me recosto nela.

— Que sorriso é esse? — pergunta Scott.

— Que sorriso?

— Como se você tivesse um segredo ou algo assim.

— Ah, não é um segredo! É totalmente óbvio.

Scott me abraça apertado e começa a me beijar novamente. Adoro o fato de ele sempre me abraçar apertado. Acho extremamente excitante.

[11] Músico, cantor, compositor e artista ocasional inglês (N. T.).
[12] Comediante, ator, artista, músico, escritor e humorista americano (N. T.).

— Que música quer ouvir? — pergunta ele.

— A que você quiser.

Muitas vezes, quando estamos transando, nem noto o que está tocando. É como se meu corpo só tolerasse a entrada de uma determinada quantidade de informações, por isso, ele bloqueia a música. Assim, evita sobrecarga sensorial.

Enquanto Scott vai ligar o som, eu vou para sua cama. Deitar nela e olhar através da janela parece algo tão familiar! O edredom azul marinho, as pesadas cortinas nas duas janelas, o suave brilho da luz do abajur no canto... É quase como se eu conhecesse o quarto antes mesmo de entrar aqui.

A vista é linda. O prédio do outro lado da rua tem um apartamento de cobertura com um pátio enorme. Uma fileira de luzes roxas contorna a parede do pátio. Fico olhando para a fileira roxa, pensando sobre o novo projeto que o senhor Peterson passou: temos de descobrir nossas carreiras ideais pesquisando assuntos pelos quais somos mais apaixonados. Isso está fazendo que eu perceba que a paixão que tenho por Nova York pode ser a chave para descobrir o que quero fazer da vida. E se puder canalizar meu amor por Nova York para uma carreira, por exemplo, fazendo alguma coisa para transformar a cidade em um lugar melhor e preservar todas as coisas de que mais gosto nela? Deve existir algum tipo de trabalho que conserve o que define a natureza desta cidade e crie novas maneiras de conectar seu ambiente aos seus moradores.

— Você começou aquele novo projeto? — pergunto.

— Para a Caixa?

— É.

— Ih, não! Estou adiando o máximo possível.

— Por quê? Parece divertido.

— Divertido? — Scott ainda pesquisa as listas de música de seu computador. — O que há de divertido num projeto que nos força a decidir o que queremos fazer?

— Pode dar certo para você. Já estou tendo algumas boas ideias.

— Eu passo. Tem muito tempo para descobrir tudo isso. Realmente não preciso da pressão. Pensei que você também se sentisse assim.

— Eu me sentia, mas... não acho que seja uma coisa ruim começar a descobrir o que quero fazer da vida.

Scott faz que não com a cabeça.

— Seja lá o que for — diz ele ao computador.

Não acredito que ele não esteja feliz por mim. Ele nem me perguntou o que eu gostaria de fazer! Mas entendo Scott. Somos praticamente as duas únicas pessoas na classe que não sabem qual faculdade ou curso desejam fazer. Estamos unidos pela indecisão. No entanto, me sinto aliviada porque, finalmente, tenho uma ideia sobre o que eu quero ser, apesar de ainda não saber exatamente o que é. Ao nosso redor, todos giram num redemoinho de atividades, enquanto nós estamos juntos, empacados no mesmo lugar. Há algumas semanas, todos eles se transformaram nessas aberrações acadêmicas da natureza, nervosos com as dissertações para requerimentos e preocupados porque, talvez, não consigam a primeira opção de faculdade. À certa altura, parei de sentir pena deles e comecei a invejá-los.

Como todas as outras pessoas podem saber exatamente para onde suas vidas estão indo? Será que todas tiveram uma epifania e somente Scott e eu perdemos? John escolheu um programa especial de trabalho social em uma faculdade que não avalia através de notas. Sadie quer ser professora de ensino fundamental, e ela será muito boa nisso. Ela consegue entrar onde quiser.

Pode ser que esta seja a resposta que procuro. Esperar minha vida real começar não é desculpa para desperdiçar a vida que tenho no momento. Só estou com Scott porque assumi o controle da minha vida e a modifiquei para conseguir realizar as coisas que quero. Eu mesma criei essa mudança. Por que não posso fazer a mesma coisa para descobrir qual carreira seguir?

Quando Scott se aproxima e deita em cima de mim, paro de pensar.

Nosso relacionamento pode não ser tudo o que quero, mas, quando estamos juntos assim, tudo é perfeito. Aqui e agora — só isso que importa.

# 20

**Os últimos dois meses** não poderiam ter se escoado mais rápido! Os feriados passaram depressa, alguns aqui, outros em minha cidade. Neste ano, mamãe fez o Natal em nossa casa, por isso a família inteira, inclusive tios e primos, invadiram nosso território. Eu só conseguia pensar em voltar para Scott.

Eu tinha esperança de que as críticas de mamãe parassem temporariamente, já que era uma ocasião especial, porém, nem tanto. Tivemos variações da mesma conversa todos os dias. Uma típica era assim:

Mamãe: "Você terminou de preencher aqueles requerimentos para a faculdade?"

Eu: "Você me perguntou isso ontem."

Mamãe: "Estou perguntando de novo."

Eu: "Faltam dois, com prazos mais longos."

Mamãe: "O que está esperando? Você deveria aproveitar o feriado para fazer isso!"

Eu: [silêncio]

Mamãe: "April vai se candidatar, com antecedência, à Worthington University. Sabia disso?"

Eu: "Hum, sim."

Mamãe: "Ela vai fazer o curso preparatório para a faculdade de Medicina. Sua mãe deve estar tão orgulhosa!"

Eu: [silêncio]

Mamãe: "Deve ser maravilhoso, para ela, saber o que quer fazer da vida."

Interminavelmente. Foi mais que irritante a forma como ela assumiu que serei sempre esta perdedora sem rumo. Não me dei ao trabalho de lhe contar que estou quase descobrindo o que quero fazer.

Também foi enervante perceber como o ritmo da minha cidade é lento! Não havia notado antes. É como se todos na cidade se movimentassem em câmera lenta, como se ninguém tivesse nada de importante para fazer. Parece que ninguém se sente suficientemente motivado pelo que a vida tem para oferecer para querer chegar lá. Eles até falam mais devagar! Curioso é que nada disso costumava me incomodar, mas agora me irritou profundamente.

April me convidou para ir até a casa dela. Fui visitá-la e Candice não apareceu. Ela ainda não queria me ver.

— Você não pode culpá-la — disse April.

Seu quarto estava diferente: a antiga estante de livros fora substituída por prateleiras embutidas, os livros estavam todos enfileirados e dava para ler a lombada de cada um deles. Antes, ficavam em pilhas de dois ou três.

— Não pensei que ela ficaria brava comigo durante tanto tempo — disse eu.

April ficou quieta.

As coisas entre nós não estavam mais do mesmo jeito. Não mesmo. Eu tinha esperança de que, quando nos víssemos novamente, as coisas voltariam a ser como antes. Afinal, além da minha mudança para Nova York, o que havia acontecido? Ainda somos as mesmas pessoas, portanto, ainda deveríamos ser melhores amigas. Só que não somos. E não sei se algum dia seremos novamente. Sobretudo depois que April foi, novamente, indelicada comigo. Ela basicamente me acusou de estar esnobe por conta da minha "nova vida na cidade grande" e reclamou que me gabava dizendo que o Joe era melhor que o Bean There. Eu não tinha muito mais o que dizer depois disso. Por isso, não via a hora de os feriados acabarem.

É um alívio tão grande estar de volta! Estar com Scott novamente vai fazer toda a irritação ir embora. Ao menos, é o que espero. As coisas entre nós não progrediram nem um pouco. Eu esperava que, com o tempo, a relação evoluísse, que ele começasse a se abrir mais comigo e nós nos conectaríamos mais profundamente. Os garotos não demoram mais tempo para ficarem íntimos em relacionamentos? Bem, mas o que há entre nós ainda não parece profundo o bastante.

Se eu fosse dolorosamente sincera comigo mesma, nem chamaria de relacionamento. Tenho a impressão de que isso nunca vai ser como quero. A menos que ele tenha mudado depois dos feriados. Quem sabe Scott só precisasse de um tempo sozinho para perceber o quanto eu significo para ele...

Normalmente não sou desse jeito. Nunca levei tanto tempo para adormecer, fico deitada com uma horrível sensação de angústia no estômago, imaginando todas as coisas que tenho medo de dizer. Guardar tudo está me enlouquecendo! Planejo falar para Scott tudo que está me incomodando, assim que nos encontrarmos, mas quero lhe dar mais uma chance. Pensei nele durante todo o tempo que estivemos separados. Tenho certeza que ele pensou em mim também.

Encontrar o presente certo para Scott foi meu principal objetivo durante os feriados. Nós íamos trocar presentes antes da minha partida, mas Scott disse que não teria a oportunidade de me comprar nada. Talvez ele tenha dito isso para que eu fique surpresa com o presente muito legal que vai me dar. Ele deve saber, desde o princípio, exatamente o que quer comprar para mim.

Quando a campainha toca, saio do quarto correndo para curtir Scott. Meu coração dispara quando escuto seus passos se aproximando no hall. Escancaro a porta antes que ele possa bater. E ali está Scott: sorrindo e segurando meu presente.

— Senti sua falta — digo eu.

— Senti sua falta também.

Então começamos a nos beijar e fomos para meu quarto. Durante as próximas horas, me esqueço dos nossos presentes e todos os ressentimentos se evaporam.

Finalmente, Scott diz:

— Estou morrendo de fome.

— Você quer pedir alguma coisa?

— Quero. É tão legal que seu pai a deixe fazer isso!

— Como se ele tivesse escolha! Você sabe que ele nunca está em casa na hora do jantar, e eu não cozinho.

Puxo Scott da minha cama e o levo até a cozinha. O presente foi abandonado perto da porta quando ele chegou aqui. Eu o teria posto embaixo da árvore, se nossa árvore fosse suficientemente grande para isso. Esta árvore é constrangedora. É uma pequena árvore artificial que papai comprou alguns dias antes do Natal. Como ele nunca está aqui no Natal, pois sempre vai à casa do meu tio em Massachusetts, é a primeira vez que ele compra a própria árvore. A árvore fica na extremidade de uma mesa e parece triste. É prateada. Entendo que uma árvore grande, como a que tínhamos em casa, não daria certo neste apartamento, mas ele não poderia ao menos ter comprado uma árvore verde, embora artificial? Mas parece que papai gostou desta e eu pude escolher os enfeites, por isso não está tão horripilante.

Enquanto Scott examina os cardápios de comida para viagem, levo meu presente até o sofá para fazer uma inspeção. Dá para ver que ele mesmo o embrulhou. As extremidades estão tortas e ele usou muita fita adesiva. Isso me faz amá-lo ainda mais.

— Que tal pizza? — pergunta Scott.

— Pizza é legal.

— De quê?

— Qualquer uma que você queira está bem.

Tento adivinhar o que é o meu presente pelo tamanho da caixa, que eu poderia classificar como tamanho médio-pequeno: grande demais para ser uma joia, pequeno demais para ser uma bolsa. Não tem o formato certo para ser um livro ou um DVD. Poderia ser...

— O que você acha que está fazendo? — Scott diz, de repente, atrás de mim.

— Nada. — Olho fixamente para ele com olhos arregalados, toda inocente. — Estava só olhando... Não abrindo.

— Tem certeza disso?

— Absoluta. Veja! — Levanto o presente.

— Humm. Bem, pedi a pizza, os presentes estão em casa. Acho que está na hora.

— Oba! — Corro para o quarto, pego o presente de Scott e pulo de volta no sofá. — Parece Natal, tudo de novo! Só que, desta vez, não é uma porcaria!

— Pena que sua ida para casa tenha sido tão ruim! Todas as vezes que você ligava, eu tinha vontade de ir até lá resgatá-la.

— Não se preocupe! Acabou. Bem, Nova York é minha casa agora.

— Você realmente acha que estará aqui no ano que vem?

— Sim. Quero dizer, espero que sim.

Por que ele disse "você estará aqui no ano que vem" em vez de "nós estaremos aqui no ano que vem"? Pensei que estávamos planejando ir para a mesma faculdade ou, pelo menos, faculdades próximas. É por isso que nos inscrevemos para as mesmas faculdades em Manhattan.

Reprimo os maus pressentimentos.

— Quem vai ser o primeiro? — pergunto.

Não sei se estou mais empolgada para ver Scott abrindo seu presente ou para abrir o meu.

— Pode ser você.

— Não, vai você.

— Tem certeza?

— Claro! — grito, pulando no sofá como se tivesse 3 anos de idade. Não vejo a *hora* de ele ver como é perfeito seu presente.

Scott abre o pacote. Eu estava mais ou menos esperando que ele dissesse alguma coisa, afinal, passei meia hora escolhendo o papel e o laço certos. Ele viu o laço? O laço era uma obra-prima.

— Ah, uau! — exclama ele.

Após intermináveis deliberações a respeito do presente perfeito, decidi comprar um *mousepad* do Dunder Mifflin e uma caneca com a frase: "O Melhor Chefe do Mundo", igual à que aparece na série. É engraçado porque, a princípio, eu decidi comprar coisas do *Office* para ele, mas depois fiquei preocupada, pois não seria uma surpresa. Então passei horas indo às lojas com meus primos durante os feriados, à procura do perfeito presente inesperado: um presente tão perfeito que ele nunca adivinharia, nem perceberia, que era aquilo que desejava. Mas, no final, confiei no meu primeiro instinto. Eu queria que o presente fosse usado todos os dias e que ele adorasse.

Scott dá risada da caneca.

— Muito engraçada!

Ele pega o *mousepad*.

— Eu já tenho um *mousepad*.

— Eu sei, mas aquele está tão velho! E sabia que você adoraria este.

— Obrigado!

— Você adorou, né?

— Tanto quanto é possível se gostar de um *mousepad*.

Que droga! Sabia que deveria ter comprado alguma coisa mais pessoal. Sou tão idiota!

Reprimo os maus pressentimentos mais um pouco.

— Sua vez — diz ele.

Quando desembrulho meu presente, fico parada ali. Deve ser um engano.

Eu só digo:

— Chocolate com pimenta caiena?

— Então! Você acredita que fabricam isso?

— Humm. Não, realmente não acredito.

— Experimente um.

Quem é este garoto e o que ele fez com Scott Abrams? Ele sinceramente acredita que eu gostaria de alguma coisa tão horrorosa quanto chocolate com pimenta caiena? Quando me viu comer alguma coisa tão nojenta assim?

Então, entendo: deve ser uma brincadeira. É uma brincadeira e ele está escondendo meu presente verdadeiro em algum outro lugar.

— Ha, ha... Muito engraçado! Pode me dar — digo eu.

— O quê?

— Você sabe o quê.

— Acho que não.

Scott está sério. Ele realmente me deu isso de presente de Natal. Eu passei horas, angustiada, tentando decidir qual seria o seu presente perfeito e o que ele faz? Me dá uma coisa que eu nunca comeria, nem daqui a um milhão de anos.

Será que ele sabe quem sou eu?

Aquela reviravolta no estômago, que me mantém acordada todas as noites, volta com toda força. Coloco minha mão no estômago, torcendo para que os maus pressentimentos desapareçam.

Tiro um chocolate e leio o rótulo.

— Exótico. Onde você encontrou este tipo de... chocolate?

— No shopping, ontem — diz Scott, parecendo satisfeito consigo mesmo.

Ele foi ao shopping, ontem, comprar meu presente? *Ontem*? Ele teve toda a porcaria do feriado e foi... Quer saber de uma coisa? Não tem a menor importância! É apenas um presente bobo. Desde quando coisas materiais são importantes? Por que estou agindo como uma princesa?

Talvez seja porque uma pessoa que me conhecesse do jeito que eu gostaria de ser conhecida jamais me daria um presente tão "nada a ver".

Não estou falando de um chocolate horrível, e sim da verdade que fico tentando reprimir, mas que continua vindo à tona. Já sei como vai ser o resto da noite: assistiremos à TV enquanto comemos pizza, não nos olhamos nem conversamos. Depois, transamos novamente, se meu pai não estiver em casa ainda. Se ele estiver, Scott vai embora. Ele não fica aqui só para estar comigo. Nós não conversamos sobre nada importante. Scott costumava falar sobre o irmão ou desabafar sobre as dissertações para a faculdade. Parecia que ele se abria mais comigo, me deixando entrar em sua vida de um jeito verdadeiro. No entanto, não consigo me lembrar da última vez que falou sobre alguma coisa tão séria assim.

Mas nós não vamos terminar. Não me mudei para cá para as coisas não darem certo. Amo Scott há tanto tempo! Não podemos continuar desse jeito.

Bem na hora que tento descobrir como resolver o problema, uma pergunta irritante não me deixa em paz. Se era para as coisas mudarem, isso já não deveria ter acontecido?

# 21

**Tenho pensado sobre isso.** Muito.

Conclusão: a única forma de saber se as coisas vão mudar um dia é perguntar a Scott como se sente com relação a mim.

Ontem, quando as aulas recomeçaram, eu o evitei fora da sala de aula.

Foi muito bom colocar as novidades em dia com Sadie. Eu não tinha percebido como tinha sentido saudade dela até que a vi bem ali novamente.

Se as coisas não mudarem com relação ao Scott, meu estômago só vai piorar. Quero ser mais feliz. Quero que nós dois sejamos o tipo de casal que sei que podemos ser. E sou eu que tenho de fazer essa mudança acontecer.

Quando Scott chega ao Crumbs, aceno-lhe discretamente. Tudo ficará bem. Precisa ficar. Consegui guardar uma mesa para nós, apesar das várias tentativas de algumas mães de roubar a cadeira de Scott.

Scott me beija. Mesmo depois de ter me beijado tantas vezes, ainda sinto uma emoção forte. Acho que nunca me acostumarei com ele me beijando, não importa quanto tempo estejamos juntos. Para mim, será sempre assim: "Não acredito! Scott Abrams está me beijando!".

— Este é qual? — pergunta Scott e aponta para meu *cupcake*.

Ele acha engraçado como Sadie me deixou viciada no Crumbs. Eu não tinha adoração por *cupcakes* antes. Quero dizer, claro que gostava. Quem não gosta de *cupcakes*? Só não era obcecada por sabores, glacês e pitadas, do jeito que esta subcultura de fanáticos por *cupcakes* é. Sadie pertence a esse grupo. Sua obsessão aparentemente me influenciou, porque agora sou fã do Crumbs.

— É o "*Cupcake* da Semana" — respondo.

— Do que é?

— Piña colada. Adoro este guarda-chuva pequeno! É bolo branco, com recheio de limão e abacaxi, e cobertura de coco. Com uma cereja por cima, como você pode ver.

— Não acredito que você não comeu a cereja ainda.

— Queria que você o visse inteiro.

Depois que Scott pega um *cupcake* (o "Squiggle", que tem exatamente o mesmo gosto do "Hostess Cup Cake" de chocolate; eles até colocam aquela linha de glacê em espiral por cima) e café, é hora de me livrar de tudo que está me incomodando.

— Não precisa ficar bravo — digo eu —, mas tenho de conversar com você sobre uma coisa.

— Manda.

— Humm... bem, só queria saber para onde as coisas estão caminhando.

— Que coisas?

— As coisas entre nós.

— Assim... o que você quer dizer?

Como Scott pode não saber o que quero dizer? Perguntar aonde as coisas estão indo não é o código universal para querer que a outra pessoa defina o relacionamento?

— Parece que... OK, sabe que adoro estar com você. Estou apenas querendo saber como se sente sobre nós, porque, para mim, parece que as coisas não estão caminhando para o próximo nível, e eu não sei por quê.

Scott olha de relance para o garotinho na mesa ao lado. Sua mãe o observa, enquanto ele come um *cupcake* de menta com lascas de chocolate. Há glacê de menta na bochecha do garoto.

— Nós estamos falando sobre sexo? — diz Scott, discretamente.

— Não! Não é este tipo de próximo nível. Eu quero dizer o próximo nível emocional, por exemplo, nos abrirmos mais um com outro.

— Eu te contei sobre Ross, não contei?

— Sim, mas não conversamos sobre nada mais que seja importante. Parece que as coisas estão meio... superficiais. Só acho que já deveríamos estar mais sérios, mas parece que você tem medo de se aproximar ou algo parecido.

— Eu?

— Mais ou menos.

— Isso é irônico!

— Quer dizer... ?

— É você que não deixa as pessoas entrarem.

— Não é verdade!

Achei que, aqui, eu estava melhorando. Achei que a nova Brooke estava fazendo amigos. E Sadie? Ela é praticamente minha melhor amiga agora. E John? A antiga Brooke nunca seria amiga dele!

Scott se recosta na cadeira, esfregando as mãos no rosto. Um grupo de garotas do ensino fundamental chega fazendo barulho, todas dando gritos histéricos e discutindo em voz alta.

— Por que você está fazendo isso? — pergunta ele.

— Só estou dizendo como estou me sentindo. Em um relacionamento, as pessoas não deveriam ser capazes de falar para o outro como se sentem?

— Sim, mas por que tem de ficar tão sério? Gosto do jeito que as coisas estão! Achei que você também.

— Eu gosto... quase sempre. É que parece que não estamos saindo do lugar.

— Não estamos juntos há tanto tempo assim.

— Tempo suficiente para saber se queremos mais.

Scott me olha como se eu tivesse enlouquecido. Entendo o lado dele. Para ele, estamos juntos há menos de três meses, mas, para mim, estamos ligados há muito mais tempo. Tudo que eu quero que sejamos está sendo construído durante mais de dois anos. É como se uma parte de mim pertencesse a ele todo esse tempo e, sim, talvez eu esteja agindo como louca, mas esta coisa toda foi uma loucura. Foi uma loucura deixar minha vida inteira para trás e vir para cá atrás de um garoto. É uma loucura estar triste quando deveria estar eufórica. Para Scott, é uma loucura que eu queira um compromisso mais sério tão cedo, porém, para mim, não parece cedo. Tenho a impressão de que estou esperando para ter alguma coisa de verdade com ele há uma eternidade!

— Nós estamos nos divertindo — diz Scott. — Não é esse o objetivo do terceiro ano? Nós... Ficar com você é legal. Por que isso não é suficiente?

*Ficar*? É o que ele acha que estamos fazendo todo esse tempo? Ele faz parecer uma coisa tão casual!

— Porque não é — respondo. — Porque me mudei para cá para estar com você e eu não teria largado tudo e mudado minha vida inteira por alguém se não fosse sério o que sentisse em relação a essa pessoa!

O grupo de garotas barulhentas vem para a mesa perto de nós. Teria sido melhor se Scott tivesse vindo à minha casa. Não sei por que pedi para ele me encontrar aqui.

— Você não acha que isso me pressiona? — pergunta Scott. — O que tenho que fazer com isso? Como posso corresponder e ser esta pessoa que você quer que eu seja?

— Você está...

— Eu não acho que posso ser a pessoa que você quer. Realmente... eu não acho que sou o bastante para você.

— Mas você é! Eu o conheço mais do que você imagina.

— Conhece? Você me observou durante dois anos e depois me seguiu até aqui. Isso é conhecer alguém?

Quando começamos a sair e disse a Scott como me sentia em relação a ele, como o conhecia embora ele não me conhecesse, achei que ele tivesse entendido, que tivesse me compreendido. Mas estou percebendo que ele não me entende nem um pouco.

— Você significa tanto para mim! — digo eu. — Achei que soubesse disso.

— Eu sei. É por isso que é impossível corresponder às suas expectativas. Este sou eu. Não posso ser outra pessoa.

As garotas barulhentas estão gritando, comentando que o "*Cupcake* da Semana" é muito bom. O Garoto do Glacê Verde está tendo um acesso de raiva. Ele quer terminar de comer seu *cupcake*, mas sua mãe quer levar metade para casa. Enquanto isso, minha tragédia pessoal está sendo encenada aqui, na Mesa da Rejeição. Sou um Fracasso no meio de uma grande quantidade de açúcar. Nunca me senti tão sozinha no meio da multidão.

As Garotas Barulhentas olham para mim.

Debruçando-me sobre a mesa, sussurro:

— Lamento se você se sente pressionado.

Não consigo deter as lágrimas. Enxugo os olhos com raiva.

— Não chore! — diz Scott. Ele passa o guardanapo para mim. — Você não disse que sempre quis morar aqui? Muito antes que eu entrasse em cena?

Faço que sim com a cabeça.

— Então, agora você está aqui! Isso é uma coisa boa, certo?

"Não sem você. O sonho de estar com você e o sonho de morar aqui estavam entrelaçados. Estes sonhos estão juntos do jeito que você e eu deveríamos estar."

Limpo o nariz. Evito contato visual com a mãe do Garoto do Glacê Verde.

Scott diz:

— Não podemos apenas... deixar que continue divertido assim como está?

É tão tentador dizer "sim", ficar com Scott do jeito que ele deseja! Mas jogo este jogo o tempo inteiro. Eu quero desesperadamente ser aquela garota que pode se divertir nas noites da cidade com um garoto que ela ama e não querer mais nada. Desde quando Scott me beijou, tento ser assim. Só que não sou ela. Se Scott e eu não podemos estar juntos do jeito que sei que deveríamos estar, de acordo com o que meu coração diz, então não posso mais fazer isso.

— Não — digo eu. — Seria mentira.

— O que você quer dizer?

— Que... eu não posso fazer isso. Não posso ter apenas uma parte de você. Não foi por isso que vim para cá.

— Podemos ser amigos?

— Não sei. Preciso pensar.

Scott afasta rapidamente sua cadeira e se levanta.

— Então vou lhe dar espaço para fazer isso — diz ele.

E, exatamente assim, voltei a ficar totalmente sozinha.

# 22

**Bem-vindo ao Pior Dia** que já tive.

— Não fique amiga dele — aconselha Sadie. — Seria um mundo de dores.

— Não acredito que me mudei para cá por ele — digo eu. — O que eu estava pensando?

Como pode ser o fim? Era apenas o começo!

Quando Sadie foi ao meu apartamento, depois da aula, não consegui contar logo para ela o que tinha acontecido. Não consegui conversar com ela o dia todo. Nem com ela nem com ninguém. Parecia que ia chorar a cada dois segundos. Apesar de tentar desesperadamente manter a calma, tive de correr para o banheiro duas vezes, pois as lágrimas, de repente, começavam a escorrer pelo meu rosto. Não assisti às duas últimas aulas e vim para casa cedo. De jeito nenhum ia me sentar perto de Scott um dia depois de ele ter partido meu coração.

Nada vai ficar bem. Nada nunca está bem.

Sadie se afunda um pouco mais no almofadão, calada pela primeira vez desde que pedi para ela vir aqui em casa. Este dia não tem como ficar pior. Está frio e triste lá fora. Uma combinação deprimente de chuva, chuva gelada e neve típica do inverno intermitentes. Ah, e Scott não quer mais ser meu namorado, a menos que deixemos as coisas assim, sem compromisso!

Enxugo meus olhos com um lenço de papel molhado.

— Ele não era o garoto certo para você — diz Sadie. — O garoto certo nunca teria feito isso.

— Mas eu realmente acreditava que era.

— Os relacionamentos devem progredir naturalmente. As duas pessoas têm de querer isso. Se há resistência, tem um problema.

— Ah, tem um problema!

— Não tem mais. Agora você pode encontrar um garoto que faça qualquer coisa para estar com você.

— Não quero estar com qualquer outra pessoa.

— Não, sei que agora você não quer, mas um dia vai querer. E, quando estiver pronta, saberá o que procurar.

Puxo um lenço de papel novo da caixa. Muito legal Sadie tentar fazer com que eu me sinta melhor. Estar com uma pessoa nova é a última coisa que desejo pensar, mas sei que tudo que ela está dizendo está certo.

— Bem... Como John está indo na monitoria? Você está vendo alguma melhora?

— Um pouco.

As coisas com John não são mais exatamente do mesmo jeito. Quero dizer, nós ainda falamos sobre as mesmas coisas e ele ainda brinca comigo, mas não vamos ao High Line há uma eternidade. Está frio demais para ficar lá fora por mais que alguns minutos. Parece que ficar trancado na escola também trancou uma parte dele e John se afastou de mim.

— Como se eu conseguisse pensar em qualquer outra coisa neste momento, a não ser em Scott! — digo eu.

— Pelo menos você tem autoconfiança com relação aos garotos — observa Sadie. — Pelo menos você se esforça.

— É. Olha como deu certo!

— Mas olha tudo o que você fez. Vocês formavam um casal muito legal. Você fez acontecer!

Sadie pega sua enorme bolsa e a vasculha até encontrar um caderno. Ela o abre de repente. Vasculha mais um pouco e, finalmente, saca a caneta roxa brilhante, sua marca registrada. Depois, começa a rabiscar freneticamente.

— O que você está...

— Psiu!

Sadie continua rabiscando, com um dedo levantado para me fazer esperar. Alguns minutos mais tarde, ela arranca a página do caderno.

— Você consegue fazer uma dobradura de qualquer animal com isso?

— Praticamente qualquer um.

— Você consegue fazer um lagarto?

— Provavelmente. Posso ler primeiro?

— Não.

— Ou saber para quem é?

— Depois de terminar, você vai saber.

Faço o possível para dobrar o bilhete de Sadie em um lagarto. A cauda sai um pouco amassada.

— Bárbaro! — declara Sadie. — Vamos.

Caminhar por aí nessa mistura gélida e nojenta é a última coisa que quero fazer, mas Sadie insiste. Coloco as botas e tudo mais, a contragosto. Meu gorro ainda está molhado.

Enquanto vamos a algum lugar que ainda não sei qual é, ela diz:

— Então, estou pensando no seguinte: autoconfiança com relação aos garotos só pode ser adquirida através de sessões de treinos intensos. Você tem essa autoconfiança há um bom tempo. E mudar para cá não foi difícil para você, foi mais fácil, pois estava acostumada com os garotos tratando você de uma determinada maneira.

— Eles não...

Sadie me dá a mão.

— Você mudou sua vida inteira para ficar com Scott. O mínimo que eu podia fazer seria tentar ficar com Carlos.

— Finalmente!

Olho ao redor, procurando por Scott. Estou paranoica, achando que vou encontrá-lo.

— Ele está trabalhando hoje, então...

— O que você escreveu no bilhete?

— Optei pela estratégia do "menos é mais". Basicamente, só tem meu número.

— Você sabe que você reina?

— Vou reinar quando ele me ligar. Até então, sou apenas uma fraca.

Espero do lado de fora do Rite Aid. É um sentimento esquisito estar feliz com a situação da sua amiga com o garoto e, ao mesmo tempo, deprimida com a própria situação.

Alguns minutos depois, Sadie sai. Ela não está feliz do jeito que eu esperava. Parece mais arrasada e ainda está com o bilhete.

— O que aconteceu? — pergunto.

— Não consegui entregar para ele.

— Ah! Bem, voltaremos outro dia. Você pode tentar de novo.

— Não. Não consegui entregar porque ele não trabalha mais aqui.

— Por que não?

— Não sei. O gerente só disse que Carlos pediu demissão há duas semanas. E não sabe para onde foi.

— Mas nós ainda podemos encontrá-lo. Você sabe o sobrenome dele?

— Não.

— Podemos perguntar ao gerente.

— Para que, assim, eu fique conhecida como a perdedora que caça aleatoriamente os caixas do Rite Aid? Acho que não.

— Mas...

— Sabe de que precisamos?

— De quê?

— *Cupcakes*.

Então vamos ao Crumbs. Às vezes, em meio a todo o drama com garotos, só se precisa de um *cupcake*.

Uma coisa que adoro em Nova York é a rapidez com que a vida pode mudar. Considere este exato momento, por exemplo. De repente, estou a caminho da NYU[13]. Enquanto eu estava aguardando que Sadie escolhesse seu *cupcake* (ela escolheu o Good Guy), fiquei lendo o enorme quadro de avisos do Crumbs, em que são afixados panfletos sobre eventos locais e coisas do gênero. Havia um panfleto que divulgava a apresentação de um projeto sobre planejamento urbano na NYU, o que me salvou; do contrário, eu teria ido para casa e chorado por Scott a noite toda.

Quando estava fazendo pesquisa para aquele projeto de carreira para a Caixa, fiquei sabendo sobre planejamento urbano. É exatamente a área que eu imaginava estudar, só não sabia que se chamava planejamento urbano. Planejadores urbanos criam espaços verdes, como o High Line, desenvolvem maneiras de fazer com que as estruturas embutidas sejam mais atraentes aos moradores da cidade ou criam modos de incorporar mais luz natural e energia verde a prédios reformados. Se decidir me tornar uma planejadora urbana, posso me formar em Estudos Ambientais ou Sociologia e depois fazer mestrado em planejamento urbano. Então, quando vi o panfleto, sabia que eu tinha de ir.

Vi folhetos de faculdades que destacavam, com fotos, os *campi* espaçosos, com gramados e prédios enormes, parecendo muito acadêmicos, espalhados pela área. NYU não é assim. Não há muito espaço na cidade para um *campus* de verdade. Embora sejam basicamente alguns prédios amontoados em poucas quadras, ainda assim consigo sentir a energia da vida na universidade. Alunos andam apressados em todas as direções, alguns mal-arrumados, vestindo volumosas blusas de moletom e cachecóis espessos, outros protegidos por casacos pesados. Imagino uma garota sozinha no quarto, no alojamento da universidade, jogando nos ombros uma blusa de moletom e correndo para a aula no último minuto, toda empolgada com o primeiro encontro que acontecerá mais tarde com aquele garoto bonito do curso de

[13] New York University (N. T.).

Economia. Todos passam correndo por mim, enquanto tento encontrar o prédio certo. É um alívio quando, finalmente, o encontro, porque estou morrendo de frio.

Logo que chego à sala de reuniões, sinto uma inspiração repentina. Pela primeira vez, consigo me ver em um lugar assim, trabalhando para construir uma vida que não só me deixará feliz, como também fará outras pessoas felizes.

Nunca estive em uma apresentação de um projeto de um aluno de graduação, nem em nenhum outro evento em faculdade. Está muito mais cheio do que eu esperava. E parece de alto nível. Embora este prédio seja muito velho, a sala de reuniões está toda reformada, com um brilhante piso de madeira de lei e imensas janelas novas. É possível ver, através delas, o Washington Square Park, com seus arcos iluminados. Tem até um lugar para deixar o casaco, por onde quase passo direto, se uma garota não me chamasse.

— Você gostaria de guardar o casaco?

Apenas sorrio e tiro o meu casaco, tentando não parecer tão intimidada quanto estou me sentindo.

Atrás de fileiras de mesas compridas, há alunos em pé, e a sala está repleta de pessoas ziguezagueando em volta das fileiras. Pessoas que são daqui. Estou tão deslocada que nem sei para onde devo ir.

Outras parecem ir diretamente até os apresentadores, perguntando sobre seus projetos. Na área de cada estudante há um quadro com um grande cartaz, dividido em três seções, com a descrição do projeto de cada um. Em alguns deles, *laptops* mostram vídeos. Estão expostos também diversos materiais, como amostras de vidro, modelos de prédios e até uma turbina de vento.

Paro para ler um cartaz sobre ambiente de construção. Tem uma sinopse de um estudo sobre como mais investimentos pessoais em espaços residenciais urbanos diminuem os níveis de pobreza e, depois, um projeto sobre Million Trees NYC: a iniciativa de plantar um milhão de novas árvores por toda a cidade. A ideia é incentivar a revitalização do bairro, ajudar a reduzir poluentes e introduzir um fator de resfriamento no efeito de aquecimento urbano da ilha. Esses projetos são incríveis. Existem tantas formas possíveis para eu compartilhar minha paixão por esta cidade ao me tornar uma planejadora urbana! Quase consigo sentir as sinapses incendiando meu cérebro, processando ideias.

Uma garota tem uma foto enorme do High Line em seu cartaz. Vou até lá.

— O High Line é o máximo — digo eu.

— Eu sei. Não é fenomenal?

— Muito mais que fenomenal. Sobre o que é seu projeto?

— *Design* de prédios verdes. Estou interessada em quanto os espaços verdes e a arquitetura verde podem melhorar o bem-estar dos residentes urbanos.

— É exatamente isso que me interessa!

— Você gostaria de ouvir sobre o que estou fazendo?

Faço que sim com a cabeça, entusiasmadamente. Enquanto ela explica as partes do projeto, eu me sinto feliz. Quanto mais ela explica, mais intensa se torna esta tranquila sensação de clareza.

De repente, "O Saber" entra. E sei, sem sombra de dúvida, que isso é o que eu tenho de fazer.

# 23

**Tem alguma coisa errada** com John. Já não está sendo nada fácil me manter em funcionamento normal desde o rompimento. Deixar, então, minhas questões de lado para ajudar John com os exercícios sobre fuso horário é ainda mais difícil. No entanto, tentar ajudá-lo quando ele está sendo tão hostil é praticamente impossível!

— Tem certeza de que está tudo bem? — pergunto.

Perguntei, antes, a John qual era o problema e ele me disse que não era nada. Não acredito. Ele está totalmente sem energia hoje. E está emitindo estas vibrações de raiva desde a hora que me sentei na nossa mesa de sempre.

— Podemos apenas fazer os exercícios? — pergunta John. — O que é mesmo esta coisa de Linha Internacional de Data?

— Por que você está bravo comigo?

John fica clicando a caneta um monte de vezes. Depois a deixa cair na folha de exercícios.

— Dia 23 de dezembro significa alguma coisa para você?

— Humm... não muito.

— Não? Deixe-me refrescar sua memória. Ficamos de nos encontrar no Film Forum para ver *Office Space*. Soa familiar agora?

— Ah, meu Deus, desculpe! Esqueci completamente!

— É mesmo?

— Eu estava com muita vontade de ir...

— Quase acreditei.

— Scott ligou algumas horas antes para falar sobre uma coisa que tinha acontecido com o irmão e eu precisei ir até a casa dele e...

— Você podia, ao menos, ter ligado.

— Eu sei! Eu ia, mas aí...

Não sei o que dizer a John. Eu me esqueci de ligar para ele naquela noite, antes de o filme começar, então pensei em ligar durante os feriados para pedir desculpas, mas acabei esquecendo completamente.

— Enfim — diz John —, vamos acabar logo com isso.

— Por favor, não fique bravo! Fui burra de não ligar. Lamento muito!

Estou tão brava comigo mesma por ter magoado John! Devo tanto a ele. Meu momento de epifania, ontem à noite, em relação a cursar planejamento urbano na NYU, foi inicialmente inspirado por ele. John foi o primeiro a me mostrar que outras pessoas sentem a mesma energia que sinto, só de estar aqui. Conversei com um monte de alunos ontem à noite e vi como eram apaixonados pela cidade. Isso me fez perceber que John e eu não estamos sozinhos.

Aqueles dias no High Line com John mostrando todos os detalhes incríveis que eu jamais teria reparado... Eu não percebi na época, mas ele me acordou. Fez que eu me interessasse e me preocupasse em decidir para onde queria que a minha vida fosse.

— Sabia que tinha a ver com Scott — resmunga John.

— O quê?

— Sabe de uma coisa? — John puxa a mochila e a coloca sobre a mesa, amontoando suas coisas dentro. — Acabei!

— Mas achei que você quisesse rever a Linha Internacional de Data!

— Eu vou decifrá-la.

Enquanto o observo partir, não me sinto aliviada como ficava antes pela monitoria ter terminado. Ser monitora de John fez mais por mim do que eu podia imaginar. Não esperava que isso fosse me inspirar. Eu não esperava acordar. E, de jeito nenhum, esperava descobrir como seria meu futuro. John me ajudou a descobrir quem eu sou, e ele nem sabe disso.

Toda vez que o telefone toca, meu coração dispara.

Continuo tendo esperança que Scott ligue.

E ele continua sem ligar.

E esta é boa para o arquivo "É Claro". Enquanto estou no banheiro, a campainha toca. Não tenho ideia de quem seja. Seja quem for, só toca uma vez.

Tenho certeza de que era Scott. Ele estava passando por aqui e se deu conta de que não quer me perder. Está desesperado para ter-me de volta. E eu perdi a oportunidade de receber esta revelação porque estava na porcaria do banheiro.

Droga!

OK, pense! Se fosse Scott, aonde ele estaria indo? É possível que tenha vindo até aqui para ver se eu estava em casa e depois tenha voltado para sua casa. Mas se ele não se sentia à vontade para tocar a campainha, por que não ligou antes?

A lanchonete é mais perto do meu apartamento do que do dele. Aposto como ele está indo para lá. Acho que vou correndo até lá para ver se Scott está. Se ele estiver e parecer feliz em me ver, aí saberei com certeza que era ele.

Ao passar discretamente pela lanchonete, olho para dentro por acaso.

Scott está em sua mesa de sempre.

Com Leslie.

Papai acabou de chegar em casa, o que é uma surpresa. Ele nunca chega antes das sete. Eu acreditei quando ele dizia que estaria em casa para o jantar, quando disse que iríamos correr ao longo do rio todos os domingos ou que faríamos um programa turístico em algum fim de semana. Porém, não demorei muito tempo para perceber que papai nunca está em casa para o jantar, só fomos correr umas três vezes e, depois, ele se esqueceu disso completamente. Nós nunca passamos um tempo juntos. As poucas vezes que papai jantou comigo, falava ao telefone ou assistia às notícias. Ele nunca vai mudar seus hábitos, não importa quantas vezes prometa que amanhã será diferente, porque, quando o amanhã chegar, continuará sendo a mesma pessoa: apenas mais um rapaz que me decepcionou.

Sou irrelevante. Sou desnecessária. Sou somente alguém que está ocupando espaço no quarto de hóspedes.

Nunca deveria ter vindo para cá. Eu realmente achava que tudo acabaria do jeito que queria? A vida não funciona assim.

As pessoas sempre decepcionam você, mesmo aquelas em quem você confia.

*Especialmente* aquelas em quem você confia.

— Brooke? — grita papai da cozinha. — Você está em casa? Comprei comida chinesa.

Os ruídos da sua chegada enchem o ambiente: chaves tilintando na mesa, sacolas pousando no balcão, a TV sendo ligada. Todos os barulhos que ele faria mesmo que ninguém estivesse aqui para ouvir.

Sua filha foi morar com ele e mesmo assim ele não mudou sua vida nem um pouco.

Vou para a sala de estar. Papai está no sofá, já clicando em seu *laptop*.

— Ei, filhota — diz ele. — O jantar está na cozinha.

— Desde quando?

Papai levanta os olhos do *laptop*.

— Desde que... eu trouxe comida chinesa?

— Como você pôde fazer isso conosco?

— Achei que você gostasse de comida chinesa.

— Como você pôde abandonar sua família? Que tipo de pai deixa sua filha assim?

É óbvio que papai não estava esperando por isso. Eu também não esperava dizer estas coisas, mas aconteceu. O passado não desaparece simplesmente. Não consigo mais ignorar a fúria que sinto.

— Eu queria estar na sua vida — diz papai. — Você sabe disso.

— Você nem está mais com aquela mulher. Era mais importante ficar com uma mulher qualquer por mais ou menos dois segundos do que ficar com a família?

— Pode parecer que foi isso que aconteceu, mas posso lhe assegurar que não foi o caso. Ficar com sua mãe teria sido a pior decisão para todos nós.

— Pelo menos, era mais fácil me relacionar com mamãe quando você estava lá. Você sabe o quanto é difícil conversar com ela agora? Ela só sabe me arrasar por não estar indo melhor na escola. Todos esses anos brigando com ela são culpa sua!

— Brooke — papai olha para a parede, como se estivesse escrito lá o que ele deveria dizer depois —, viver com sua mãe se tornou impossível. Você preferia que eu tivesse ficado para que nos visse brigando o tempo todo? Teria sido pior para você.

— Havia outras formas de ficar na minha vida.

— E você não aceitou nenhuma delas! — grita papai. — Você nunca retornou minhas ligações nem me visitou quando a convidei. Você pode me culpar por ter finalmente desistido?

— Você não me queria! — grito de volta. — Só fazia essas coisas para se sentir melhor com você mesmo, já que estava indo embora.

— Isso não é...

— O que teríamos feito se eu tivesse retornado suas ligações? Conversado por telefone algumas vezes por mês? Talvez eu tivesse visitado você duas vezes por ano? Que tipo de família é essa?

— Eu não sabia que você ainda estava zangada com isso!

— Claro que estou. Por que não estaria? E aquela coisa com Justine? O que *foi* aquilo?

Papai arregala os olhos.

— Eu vi vocês, OK? Eu sei que vocês dois estavam...

De maneira alguma consigo dizer que os vi se beijando. É nojento demais.

— Não sei o que acha que viu, mas não aconteceu nada com Justine.

— Por que você está mentindo? Eu disse que *sei*.

Meu corpo está tremendo e estou gritando. Detesto isso.

Papai esfrega seu rosto com as mãos. Ele sabe que não pode negar.

— Nem sei por que estou aqui — digo eu.

— Você perguntou se podia morar comigo.

— Essa é a única razão? Porque eu pedi?

— Claro que não. Você sabe que a convidei mais de uma vez. Você é sempre bem-vinda aqui.

— Qual é a lógica? Você nunca está em casa!

Papai começa a dizer mais alguma coisa, mas não estou interessada. Vou para o quarto e desabo na cama, exatamente onde desabei depois de voltar do fiasco "Scott e Leslie" na lanchonete.

Tenho um novo desejo para a minha caixa de desejos: eu gostaria de saber, somente uma vez, como é confiar em alguém completamente, sem ficar decepcionada.

# 24

**Depois da briga com papai,** tive de sair de lá. Joguei rapidamente uma muda de roupa e mais algumas coisas na mochila. Não havia condições de voltar hoje à noite ou antes da aula de amanhã. Então liguei para Sadie. A mãe dela me disse que ela não estava em casa e eu decidi dar uma volta até que ela chegasse. Papai nem tentou me segurar quando saí.

Quero fugir noite adentro e nunca mais voltar. Pegar um trem para qualquer lugar. Encontrar uma vida melhor.

Estou ardendo em fúria. Conseguiria voltar para New Jersey até a pé. Poderia caminhar por aí a noite toda. Mal consigo sentir o frio que está fazendo com este fogo ardendo dentro de mim. Caminho pesadamente de calçada em calçada, sem olhar para os lados, como geralmente faço. Não levanto os olhos. Quem levanta os olhos são as pessoas que ainda têm esperança.

Quando caminho à noite, geralmente fico envolvida pelas luzes da cidade, pela energia do burburinho e pela animação de tudo ao meu redor, a repetida conscientização de que sou parte de tudo isso. Mas, nesta noite, olhando para baixo, para as calçadas, percebo como estão sujas e como os sacos de lixo de todo mundo estão empilhados no meio-fio em vez de estarem dentro de latas de lixo. Um rato enorme está vasculhando uma das pilhas de lixo como se fosse o dono do lugar. Não que eu não soubesse que existissem partes sujas na cidade. Eu só não tinha reparado nelas antes.

Passo por um sem-teto vasculhando uma lata de lixo na esquina. De repente, estar aqui não é mais tão empolgante. Este lugar é deprimente.

As pessoas dormem nas ruas porque não têm para onde ir. É como se vivêssemos em um mundo desumano, onde ninguém se importa com ninguém. As pessoas arrombam apartamentos ou assaltam as pessoas na rua. As garotas são estupradas ou até mortas. Qualquer coisa poderia acontecer comigo aqui fora.

O rapaz sem-teto olha para mim. Somos os únicos por ali. Esta é uma das ruas maravilhosas e tranquilas que adoro, mas agora as coisas estão diferentes. Não é nada agradável ser observada atentamente por um esboço de um cara vasculhando o lixo.

Está na hora de ir.

Ligo para Sadie em seu celular, mas cai direto na caixa postal. Sua mãe disse que ela estava em um evento sobre atos aleatórios de gentileza e talvez não voltasse cedo para casa. Não posso esperar tanto tempo. Então, tomo uma decisão precipitada com relação aonde ir. Pode ser que seja a pior decisão que já tomei, mas sei que é um lugar seguro.

O High Line fica espetacular à noite. As árvores ficam todas iluminadas. Tudo parece sempre tão tranquilo aqui! Não importa o quanto a vida fique horrível, você pode contar com isso sempre.

A mãe de John atende a porta. Eu a encontrei uma vez quando estávamos fazendo monitoria aqui. Uma chuvarada começou de repente e nós corremos até o apartamento de John. Era tão reconfortante ali dentro! Hailey, irmã de John, imediatamente me fez um milhão de perguntas, mesmo tendo acabado de me conhecer. Nós todos comemos bolachas com lascas de chocolate quentinhas e ficamos olhando a chuva.

— Oi, senhora Dalton! — cumprimento. — John está?

— Deve estar de volta em um minuto. Ele foi até o mercado comprar leite. — A senhora Dalton dá passagem. — Entre, entre, saia do frio!

— Obrigada!

Estou aliviada de estar na sala de estar quentinha deles. Sinto novamente aquela sensação reconfortante, como na última vez em que estive aqui.

Hailey sai do quarto para ver quem é.

— Ei, Brooke! — diz ela. — Não vejo você há uma eternidade. O que ganhou de Natal? Ganhei esta pulseira bárbara, que eu queria, dois jogos Cranium[14], o Wow e o Hullabaloo, e este conjunto de ferramentas para arte igual ao que os verdadeiros artistas usam. Olhe nossa árvore! Quer ver os enfeites que eu fiz?

— OK, por que não deixamos Brooke tirar o casaco? — a senhora Dalton pergunta. — Você aceita um chocolate quente?

— Seria perfeito! — respondo.

— Hailey, por favor, coloque mais uma caneca na mesa para Brooke.

Hailey sai correndo até a cozinha.

— Desculpe, ela é um pouco hiperativa. O pai de Hailey enviou uma lata cheia de *maple sugar*. Eu estava racionando, mas ela encontrou meu esconderijo cedo demais.

— Não tem problema. Eu também fico hiperativa às vezes.

A senhora Dalton ri.

— Vou pendurar seu casaco. Quer colocar o cachecol junto?

— Obrigada!

— Logo que John voltar com o leite, servirei o chocolate quente. Hailey não vai se importar de não tomar. Expliquei a ela que já atingiu o limite de açúcar da semana. — A senhora Dalton pega meu casaco. Então, continua: — Quero agradecê-la por tudo que fez pelo John. Fez muita diferença. Ele parece entender as coisas de um jeito novo, que está dando certo para ele.

— Isso é ótimo! Estou contente por poder ajudar.

— Com certeza você está ajudando. O que quer que esteja fazendo, por favor, continue com o bom trabalho!

A senhora Dalton é uma dessas mães muito bem informadas. John me falou sobre ela. Ela é psicóloga infantil e tem várias liga-

[14] Jogo de tabuleiro baseado no Ludo (N. T.).

ções dentro do sistema escolar. De certa forma, John é sortudo, porque sua mãe tem dinheiro e conhece as pessoas certas, e ele recebe os serviços que precisa. Ele tem, por exemplo, um monitor particular para reforçar o ensino da escola. Se a senhora Dalton não fosse tão dedicada ao sucesso de John, provavelmente ele não seria tão incrível.

Hailey corre de volta para a sala de estar. Na verdade, acho que é chamada de "sala ótima". É apenas um espaço grande, com enormes janelas ao longo da parede, com vista para o High Line.

— Venha ver meus enfeites! — grita Hailey, puxando meu braço.

O primeiro enfeite que chama a minha atenção é uma pomba clara e delicada, com penas brancas e purpurina.

— Adoro esta! — digo.

— Essa não fui eu que fiz. Eu fiz esta aqui. — Hailey me mostra uma estrela. — E esta — um anjo — e... espere, onde foi parar? Ah, aqui está: esta também.

— São bonitas!

— Como você. Você sabia que John gosta de você?

— O quê?

— Cheguei! — grita John, fechando a porta atrás dele.

Ele já tirou uma manga do casaco e está desenrolando o cachecol quando nos vê perto da árvore.

— Desculpe por não ter ligado! — digo. — Realmente precisava vir à sua casa.

John desenrola o resto do cachecol. Ele está vestindo uma blusa térmica com uma camiseta por cima. Sua camiseta tem o contorno de uma caixa-d'água elevada e nela está escrito: OLHE PARA CIMA.

— Tudo bem eu estar aqui? — pergunto.

— Tudo bem. Só preciso entregar isto para minha mãe.

Observamos John levar a sacola do mercado para a cozinha. Então cochicho para Hailey:

— Ele gosta de mim?

— Ele gosta *muito* de você — cochicha ela, brava. — Só fala em você, o tempo todo.

— Desde quando?

— Desde que vocês se conheceram.

— Por que ele não...?

— E aí? — diz John.

Demoro um pouco para juntar meus pensamentos. Será que Hailey está certa? John gosta de mim? Nunca, de jeito nenhum, vi nosso relacionamento dessa forma. Na verdade, me sentia feliz de ser amiga de um garoto que não tivesse segundas intenções. Na minha cidade, era fácil perceber se os garotos gostavam de mim. Alguns faziam jogo, mas sempre eram transparentes.

— Posso conversar com você? — pergunto.

— Vamos ao meu quarto.

Hailey é tomada por um forte ataque de riso.

— Cuidado para não engolir uma amígdala ou alguma outra coisa — aconselha John.

— Eca! Por que você tem que ser tão nojento?

— Sou um garoto. Somos todos nojentos.

Da última vez que estive aqui, não vi direito o quarto do John. Ele tem um desses quartos que você sabe exatamente a quem pertence. Panfletos das noites dos conhecimentos gerais no The Situation Room estão colados acima da sua cômoda, onde estão dois cubos mágicos. A porta do armário está escancarada e há roupas espalhadas por toda parte. Reconheço suas várias blusas com capuz, algumas penduradas, outras no chão. Tem um pôster preto de um grampeador vermelho-queimado, com fumaça saindo dele. Na parte de baixo, está escrito em amarelo: EU ACHO QUE VOCÊ PEGOU MEU GRAMPEADOR.

O que mais me chama a atenção é uma foto enorme de Nova York à noite, tirada de cima do nosso bairro. Ela mostra ruas douradas brilhantes, que levam ao centro, água roxa à meia-noite rodeando os limites de Manhattan e as luzes de New Jersey brilhando ao longe. Orgulhosamente, as Torres Gêmeas observam tudo de perto.

— Adoro este pôster! — digo.

— Obrigado! Eu sabia que ia gostar.

— Tive uma briga feia com meu pai. Não posso voltar lá agora. Eu sei que você está bravo comigo, mas será que poderia ficar aqui hoje à noite?

— Você sabe que pode.

— Que bom, *obrigada*!

— É parte do problema. Você sabe que não posso dizer "não" a você.

— Humm... não tinha certeza se não haveria problema. Eu posso ir se...

— Mas sabe o que mais me irrita? Nem é em relação a mim. É como você consegue se desrespeitar e nem se importar! Você tem este dom incrível e o joga fora. Gostaria de ter ao menos um pouquinho do seu talento. As coisas que levo horas para entender são tão fáceis para você! Você não percebe o quanto é sortuda? Você poderia ser muito mais do que se permite ser. Você é muito mais. Por que simplesmente não se permite ser quem você é de verdade?

Estou totalmente atônita. Não tenho a menor ideia do que responder. Hailey deve estar certa sobre John gostar de mim. Por que mais ele se importaria tanto?

— Eu não sabia que era por isso que você estava tão bravo — digo. — Por que não disse nada antes?

— Não estou bravo. Estou decepcionado. É diferente.

— Posso...

— Não, espere. Eu *estou* bravo. Estou bravo porque, desde o primeiro segundo que a vi, sabia que queria ficar com você, mas você não se sentia da mesma forma. Eu realmente sentia que você tinha vindo para cá por mim, mas, na verdade, veio aqui por causa de Scott. Então, de repente, é tudo por causa dele e fico me perguntando: "De onde veio este cara?". Não acreditei quando você o chamou para ir ao Strawberry Fields conosco!

— Espere, Sadie e eu íamos sozinhas, mas aí você disse que queria ir. Ou seja, originalmente não éramos nós três.

— Cara, fui eu que pedi para Sadie organizar tudo. Pedi a ela que a chamasse e, depois disso, aparece você se pendurando no Scott bem na minha frente. Não consegui suportar aquilo. Até desci do metrô uma estação antes. E aquela vez, no telhado, quando tentei segurar sua mão? Você nem percebeu! Aquilo... eu realmente achei que estávamos conectados. Aí descobri que você gostava de Scott o tempo todo.

— Uau!

— Não diga!

— Isso é...

Como pude ser tão ignorante? John é o primeiro garoto que interpretei mal. Nem tinha certeza se ele era heterossexual quando nos encontramos pela primeira vez na monitoria. Ele nunca falou sobre gostar de alguém. E nunca perguntei porque presumi que isso era uma parte da sua vida que queria guardar para si. Não esperava isso de jeito nenhum!

John tosse.

— Acho que eu gostaria de retirar tudo que acabei de dizer.

— Tudo bem. Estou contente que você tenha dito.

— É mesmo? As coisas não vão ficar esquisitas agora?

— Acho que não.

De maneira alguma quero que John saia da minha vida só porque ele gosta de mim. Desde que não seja esquisito para ele, para mim está tudo bem. Na verdade, sou extremamente grata que John esteja em minha vida. Ele é um amigo tão legal! É claro que ele deseja que eu seja a melhor versão de mim mesma. John me ajudou a perceber meu potencial de uma forma que minha mãe nunca conseguiu e que meu pai, que nunca está por perto, poderia incentivar. Enquanto mamãe me derruba e fica dizendo que sou uma decepção, John me pega no colo. Ele me ajudou a descobrir o que eu quero ser e me motiva a dar importância. Está me ajudando muito mais do que eu o ajudo. Ele sempre faz com que me sinta melhor, mesmo que estejamos apenas descobrindo novas caixas-d'água elevadas ou andando por aí, olhando para cima.

Então, é incrível que John tenha sido capaz de fazer todas essas coisas sem me dizer como ele se sentia! Deve ter sido muito difícil para ele priorizar minhas necessidades. E isso o torna ainda mais incrível do que eu imaginava.

— É engraçado você ter vestido esta camiseta hoje à noite — digo. É como se John, de alguma forma, soubesse que eu viria aqui. Não consigo me lembrar como estava vestido na monitoria, mas não era com esta camiseta. Desta, teria me lembrado. — É nova, né?

— É. Eu a customizei naquele lugar da Rua MacDougal.

— Ficarmos amigos vai ser esquisito para você?

— Provavelmente, mas prefiro me acostumar a isso a perder você. Quer saber qual foi a minha resolução de equinócio do outono?

— OK.

— Encontrar um jeito de ficarmos mais próximos para que você percebesse que pertencíamos um ao outro.

Cale... a boca! Com certeza, vou pôr isso no arquivo "É Claro": é claro que é a mesma resolução que fiz sobre Scott. Eu me lembro daquele dia no High Line, ao ver tudo aquilo pela primeira vez, atônita não só com a beleza do lugar, como também com John, tão conectado a essa cidade quanto eu. Lembro-me do pôr do sol a que assistimos e de como me senti relaxada na sua companhia.

John não poderia estar menos relaxado neste momento. Ele está um caco. Fica andando de um lado para outro no quarto, pegando coisas ao acaso e jogando de volta.

Estou me sentindo horrível.

— Lamento muito por tudo isso! — digo, me desculpando.

— Não se lamente. Ou você sente alguma coisa, ou não.

— Eu adoro sua companhia! Não quero que isso mude.

— Nenhuma mudança é necessária. Com o tempo, a vida vai recomeçar, como sempre.

— Legal.

— Desculpe por todas aquelas bobagens que disse sobre como você está se desrespeitando. Você sabe como eu fico quando estou discutindo.

— Sabe de uma coisa? Você estava certo. Eu precisava ouvir isso.

— Fico feliz por ter ajudado...

John é realmente incrível. Se eu fosse ele, não conseguiria nem olhar para mim, muito menos continuar sendo meu amigo. Mas ainda nos sentimos como a Brooke e o John, como sempre fomos.

Ao lado de um dos cubos mágicos de John, há um unicórnio de origami. Parece familiar, só que está pintado de roxo e tem lantejoulas nos olhos.

— Esse é...? — chego mais perto, para examinar o unicórnio. Foi feito com um papel de cardápio de entrega. — Não fui eu que fiz este?

— Foi.

— Não me lembro de ter dado a você.

— Você não deu. Peguei emprestado.

— Você pegou emprestado?

— Mais precisamente, roubei. Semântica.

— Por quê?

— Você está brava?

— Não, tudo bem. Você sabe que faço um monte destes. Mas por que você o queria?

— Não sei. Caiu da sua bolsa, e Hailey gosta de unicórnios, então eu trouxe para ela. Foi ela quem o enfeitou, não eu.

— Presumi.

— Porque eu usaria olhos de plástico saltados em vez de lantejoulas.

— Está bonitinho.

Hailey colou uma fita de cetim na cauda. Ela também colocou purpurina azul no chifre.

— Ah, não está apenas bonitinho. Está roxo, brilhante e é um unicórnio. O que mais você quer?

Quero perguntar por que o unicórnio não está no quarto de Hailey, mas John já suportou o bastante para uma noite.

Quando voltamos para a “sala ótima”, Hailey não está lá. Está trancada em seu quarto. Com todo o espaço só para nós, percebo como é vasto. John tem tanta sorte de morar aqui! E é o melhor tipo de sortudo, ele valoriza o que tem.

Olho através das grandes janelas. Rodeada pelas luzes da cidade e pelo céu roxo, a enormidade de estar aqui me envolve novamente. Não importa se não consigo descobrir de qual lado eu venho. A única coisa que importa é que consegui chegar ao outro lado.

O objetivo desta jornada não foi ficar com determinado garoto. Foi descobrir quem eu sou, perceber o que eu poderia ser. Mudar para Nova York foi mais importante que seguir Scott. Estar com ele foi muito importante, mas ele era apenas um catalisador. Ele era uma maneira de manter meu sonho vivo. Eu o criei como alguém que seria a resposta a tudo que eu queria.

Ele não é esse garoto. Nenhum garoto é. Nenhuma pessoa pode ser tudo o que você espera que ela seja.

A única pessoa com quem posso contar sou eu mesma. Criar a vida que quero só depende de mim. Não posso culpar meus pais, Scott ou qualquer outra pessoa pelo jeito que as coisas são.

Agora que sei para onde esta vida está indo, é hora de decidir como quero chegar lá.

# 25

— **Sua nota no SAT[15] de...** vamos ver... novembro foi quase perfeita. Isso significa que as faculdades serão mais condescendentes com suas notas — a consultora de faculdade explica.

Havia apenas uma consultora de faculdade para mais ou menos três mil alunos na minha antiga escola, por isso, depois que fiz os SATs pela primeira vez, em maio, ela nem me ligou. Mas todos os alunos do terceiro ano foram obrigados a fazer os SATs novamente no último outono e, agora, as coisas são diferentes. Esta consultora é muito boa. Está me ajudando a preparar uma lista de faculdades nas quais eu possa realmente entrar. Quando me inscrevi para uma consulta com ela, não sabia que ficaria tão nervosa. Estou tão nervosa que até esqueci seu nome.

— Você tem muitas opções — diz ela. — Você consideraria a possibilidade de ir para outro estado?

— Acho que não. Gosto muito daqui.

— Bem, há muitas faculdades na cidade que poderiam dar certo para você. Você tem uma média geral baixa, C, que é próxima às notas da maioria dos formandos. E sua melhora recente é uma coisa boa. O único problema é que o prazo de entrega da maioria dos requerimentos já acabou. Porém, você já se candidatou a algumas e podemos encontrar outras com prazos mais longos. Ainda podemos recorrer a

[15] Abreviação de *Scholastic Aptitude Test*: teste feito nos Estados Unidos para medir as habilidades dos alunos antes de ingressarem na faculdade (N. T.).

um curso técnico, se bem que tenho certeza de que será aceita em algum lugar decente. E se você mantiver a pontuação de pelo menos 3,8 durante os dois primeiros anos, poderá se transferir para uma faculdade muito melhor no terceiro ano.

Não acredito que isso possa dar certo. As faculdades para as quais já me candidatei são medianas ou abaixo da média, e aceitam alunos com GPAs[16] mais baixos, como o meu. A consultora acha que tenho uma boa chance de entrar em qualquer uma delas. E existem mais faculdades aqui em Nova York para as quais ainda tenho tempo de me candidatar, algumas até mesmo na parte baixa de Manhattan, onde quero morar. Isto já é informação suficiente. Felizmente, tenho uma amiga com quem posso dividir tudo isso, mas, antes de discutirmos sobre faculdade, tenho de lhe contar sobre John.

— Não acredito que ele goste de mim — digo.

Acabei de contar a Sadie tudo o que aconteceu no apartamento de John ontem à noite. Ela queria me encontrar no Crumbs, mas insisti em nos encontrarmos no Joe. É reconfortante aqui. Preciso disso.

Sadie não parece surpresa com o fato de John gostar de mim.

— Não acredito que você não sabia — diz ela.

— Como você não me contou?

— Como você não sabia?

— Achei que estávamos apenas curtindo.

— Ah, por favor! Dava para perceber desde o dia que você começou a monitoria. Ele mal podia esperar para falar sobre você depois.

— Você deveria ter me contado.

— John me fez jurar sigilo.

— Muito obrigada!

[16] Abreviação de *Grade Point Average*: um número que é a nota média de todos os cursos que o aluno faz e que demonstra seu desempenho (N. T.).

— Ele tem prioridade na amizade. De qualquer forma, o que teria feito? Você não ia, de repente, começar a gostar de alguém que não fosse Scott.

Acho que foi isso que aconteceu com o Garoto do Café Expresso. Que está aqui, claro. Estava tão entretida contando a Sadie sobre ontem à noite que nem notei quando ele entrou.

— Não olhe — sussurro —, mas ele está aqui.

— Quem, John?

— Não, o Garoto do Café Expresso.

— Isso eu preciso ver — Sadie diz, virando-se.

— Eu disse para não olhar!

— É aquele lá? Encostado na parede?

— Uhum.

— Por que você não me disse que ele era assim?

— Assim como?

— Assim, bonitinho!

— Não é.

— É *sim*. Você deve sofrer de deficiência-Scott visual.

Dou uma espiada no Garoto do Café Expresso. Logicamente ele percebeu nossa vibração frenética e está ocupado tentando parecer que não está vendo que o observamos. Sadie está certa, ele é bonitinho. Mas a ideia de pensar que algum outro garoto seja bonitinho, fora Scott, me dá enjoo.

— Ele até come *cupcake* — acrescenta Sadie.

Eles têm *cupcakes* especiais feitos por uma das celebridades que mora por perto. Nunca sabemos quando vão estar aqui. Quando estão, Sadie sempre pede um, com seu café expresso com caramelo. Não sei como ela tolera tanto excesso de açúcar sem se tornar uma bola.

— Muitas pessoas comem *cupcakes* — digo.

— Não. Só as pessoas que são muito legais.

— Você quer que eu a apresente?

— Eu me apresentaria, se ele não estivesse apaixonado por você. Estou fazendo deste jeito agora: sè houver alguma coisa que eu queira dizer, eu digo. Não espero mais por algum momento místico certo, que nunca chega, para depois perder minha chance.

— Podemos encontrar Carlos. Podemos perguntar ao gerente.

— Tudo bem. É muito mais divertido ficar se roendo de arrependimento.

— Não entendo você. Por que simplesmente não pergunta qual é o sobrenome dele? Tenho certeza que sabem por que ele saiu. Talvez tenha sido transferido para outra Rite Aid, a algumas quadras de distância. Ele poderia estar a um pulo daqui!

Sadie bebe o café aos goles.

— Se tivéssemos nascido um para o outro, ele estaria lá quando fui levar o bilhete.

— Sério?

— Claro que sim. Não quero seguir o rastro dele. Recuso-me a ser tão desesperada assim. De qualquer forma, esta é Nova York! Há muitos garotos aqui.

Eu ainda acho que Sadie deveria tentar encontrá-lo, mas não vou pressionar. Passando para o próximo ponto, pego meu caderno. Sadie disse que me ajudaria a entender minha vida. Ela é muito boa nesse tipo de coisa. É irônico como, no começo, eu a achava tão irritante e, agora, ela é praticamente minha melhor amiga. Deixei April de lado. Talvez ela me queira de volta em sua vida um dia. Se não quiser, não há nada que eu possa fazer a respeito. Só posso esperar que sejamos amigas novamente, embora as coisas nunca mais serão iguais entre nós.

Meu telefone toca. Não fico nem um pouco surpresa quando a tela mostra que papai está chamando. Deixo cair no correio de voz. Ele deixou um monte de mensagens ontem à noite enquanto eu estava na casa de John. Obviamente, ele estava preocupado, para variar, por isso enviei uma mensagem de texto dizendo que eu estava bem e que dormiria na casa de um amigo. Ainda não estou preparada para conversar com ele.

Abro o caderno na parte onde está toda a minha pesquisa. Há muita informação sobre planejamento urbano que encontrei on-line, movida pela adrenalina da minha noite na NYU. E, depois que a consultora de faculdade me ajudou, tive uma ideia muito melhor sobre onde encontrar respostas.

— Então, para ser uma planejadora urbana — começo —, precisarei de mestrado.

— E você tem de ser bacharel em que área?

— Pode ser em várias áreas diferentes, mas gosto mais dos estudos sobre meio ambiente. Depois, posso me concentrar em como o *design* dos prédios verdes ajudam a melhorar a saúde física e emocional das pessoas.

De repente, Sadie se levanta da cadeira para verificar alguma coisa lá fora.

— O que é que tem de errado?

— Nada — ela se senta novamente. — Só estava olhando para me certificar se o resto da realidade ainda estava lá.

— Por quê? Porque estou falando sobre faculdade? Todo mundo está.

— Não, todo mundo estava falando sobre faculdade quando os prazos para as inscrições estavam vencendo. Lembra? Naquela época, quando você desorganizadamente se candidatou a algumas faculdades aleatórias só porque estão aqui?

— Bem, desculpe-me por não querer sair de Nova York! Levei uma eternidade para chegar aqui. Sair seria burrice.

— Não estou dizendo que precise sair. Tem de haver um programa aqui que se encaixe com o que quer. Você já pesquisou quais faculdades têm admissões regulares? Ou prazos finais mais longos?

Virando a página triunfantemente, passo o caderno para Sadie.

— Está tudo aqui.

Eu gostaria muito de ter opções melhores, mas o importante é que eu comece a usar a educação como um meio de chegar aonde quero.

Ela dá uma olhada em minha lista.

— Legal, mas precisa se apressar.

— Eu sei, vou enviar os requerimentos esta semana. E todas elas têm graduações que funcionam para mim, então...

Sadie sorri, radiante.

— Como estou orgulhosa!

— Pare.

— Não, estou falando sério, isto é... John sempre diz que você poderia estar fazendo muito mais com sua vida e eu devo concordar. Parece que você finalmente está entendendo isso.

O Garoto do Café Expresso está me dando olhadas furtivas. Pego um panfleto de propaganda de aulas de violão, que alguém deixou na mesa, e começo a fazer uma dobradura de borboleta.

— Não acho que você precise da minha ajuda — diz Sadie. — Parece que já tem tudo planejado.

— Não, eu preciso de você para uma coisa.

— O quê?

— Para me dizer que posso fazer isso. Estou atrasada demais?

— Absolutamente! Nunca é tarde demais para dar uma guinada na vida.

Realmente, espero que ela esteja certa.

Antes de Sadie ir embora, enfio um bilhete em sua bolsa. Escrevi um *warm fuzzy* para ela depois de acordar na casa de John, hoje de manhã, tomada por um senso de urgência. As pessoas que me apoiam precisam saber como são importantes para mim. Eu não queria que Sadie fosse embora agora, mas ela tem de se preparar para o evento de hoje à noite. Uma das faculdades para a qual se candidatou vai promover um dia de visitação. A filosofia deles parece ser a de que, se eles oferecerem lanches, é mais provável que as pessoas os escolham.

Sadie está sempre ocupada. Quando não está se matando pela escola, está dando aulas de monitoria, fazendo atos aleatórios de gentileza, lendo para crianças no hospital ou um monte de outras coisas. Não sei como ela faz tudo isso. Só de pensar em sua agenda lotada, já me sinto exausta. Ao mesmo tempo, isso me faz querer fazer mais. Há tantas possibilidades esperando para serem descobertas! Qualquer uma delas poderia moldar meu futuro.

Depois de pronta, apoio minha borboleta de origami no peitoril da janela. Adoro encontrar energia criativa em lugares inesperados. Como estes desenhos simples de figura humana que estão pintados nas esquinas de algumas ruas no meu bairro. Já vi vários, cada um de uma cor. Apesar de não saber o que representam, eles significam alguma coisa para alguém, e isso é impressionante. Eu gostaria de saber o que a próxima pessoa que sentar aqui vai pensar da minha borboleta. Será que alguém vai notar que ela está ali? Será que vai pegá-la, que vai querer saber quem a fez e por que foi deixada para trás? Se a pessoa certa a encontrar, poderá ser considerado um ato aleatório de gentileza.

Quando saio, o Garoto do Café Expresso nem levanta os olhos de seu livro. Quando já estou no meio do quarteirão, ele vem correndo atrás de mim.

— Espere aí — diz ele. — Eu sou... eu estava no Joe.

— Eu sei.

Paramos de andar. Então, ficamos ali parados, olhando um para o outro.

— Você recebeu meu bilhete? — pergunta ele.

— Sim. Foi muito legal da sua parte. Desculpe não ter ligado!

— E por que não ligou?

— Sinceramente?

— Vá em frente.

— Eu estava interessada em outra pessoa e sabia que você não ia querer ouvir isso.

Ele faz que sim com a cabeça e fica triste.

— Pelo menos teria sido legal saber o que estava acontecendo com você. Levei uma eternidade para escrever aquele bilhete, o que eu sei que parece maluquice, já que era tão curto, mas demorei muito tempo para encontrar aquelas palavras.

— Ah, eu...

— E quando acabei de escrever, não tinha certeza se teria coragem de entregá-lo a você. Cada dia que você não ligava, a decepção aumentava um pouco mais. Eu precisava saber se eu tinha alguma chance e é por isso que, neste momento, tem um cara louco seguindo você na rua.

Que absurdo isso! Eu estava tão absorta em meu próprio drama que nem tomei conhecimento da outra pessoa que estava tendo um drama comigo. Nunca pensei que pudesse ser a questão mais importante na vida de outra pessoa dessa forma. O que é estranho, porque... olhe para esta coisa toda com Scott! Ele estava completamente alheio a quanto ele significava para mim. É inacreditável como você pode afetar outra pessoa tão profundamente e nunca ficar sabendo.

Eu não tinha ideia de quanta coragem o Garoto do Café Expresso precisou ter para me dar aquele bilhete.

— Você deve achar que sou totalmente maluco — diz ele.

— Não, não acho. É só que não posso entrar em outro relacionamento agora. Meu namorado e eu terminamos há dois dias.

— Legal, eu entendo. Não deveria ter incomodado você. *Timing* é tudo, né?

Quando o Garoto do Café Expresso volta para dentro, eu o observo pela janela, enquanto ele se senta à mesa. E é nesse momento que me dou conta de que não sei seu nome. Ele escreveu no bilhete, mas não me lembro. Nem perguntei.

Tomo a resolução de nunca mais deixar uma coisa dessas acontecer novamente. Mesmo que não esteja interessada em alguém que gosta de mim, o mínimo que posso fazer é perguntar o nome. Quero ligações mais profundas com as pessoas ao meu redor. Preciso estender mais a mão. Nem todas as pessoas viram as costas. Às vezes, ao estender a mão, a pessoa estará exatamente ali, esperando.

Remorso é uma coisa horrível. Detesto ter desperdiçado todos esses anos me rebelando contra um sistema que poderia ter usado a meu favor. Se minhas notas fossem o que deveriam ter sido, não estaria preocupada com faculdades neste momento. Eu poderia relaxar. Em vez disso, estou com medo de que, talvez, não consiga ingressar em lugar algum. Sei o que a consultora de faculdade me disse sobre a nota no SAT, mas duvido que eles se importem com o fato de as minhas notas terem melhorado no último período ou de que estou dando aulas de monitoria para os colegas. Os comitês de aceitação analisam todos os quatro anos de ensino médio, especialmente o penúltimo ano. Claro que é o período que eu estava com mais raiva. Não acredito que fui tão burra! Toda minha rebeldia não fez absolutamente nada por mim, nem por qualquer outra pessoa. Ter um objetivo tangível pelo qual me sinta apaixonada faz toda a diferença.

Então é isso. Está na hora de rever as prioridades: trabalhar direcionada à minha futura carreira, usar meus talentos para ajudar as pessoas, criar uma vida que signifique alguma coisa. "O Saber" me diz que estas coisas são possíveis.

Pego a minha caixa de desejos. Examinando minuciosamente os bilhetes que escrevi, não acredito quantos deles têm a ver com Scott. E as coisas que eu queria só para mim? Não queria nada que não estivesse relacionado com algum garoto?

Parece que não. Tiro todos os bilhetes que escrevi sobre Scott, depois rasgo cada um deles em pedaços minúsculos.

Hoje à noite, meu objetivo é fazer novos pedidos. A caminho de casa, passei na Kate's Paperie e comprei uns papéis de carta maravilhosos. É um pacote de papéis com vários motivos diferentes, feitos à mão. Cada papel é único, uns têm desenhos incríveis, outros têm flores prensadas ou bordas puídas. É exatamente o tipo de papel especial que quero usar para a minha caixa de desejos reformulada.

Também comprei um pacote de canetas Gelly Roll Lightning. Tiro a tampa da caneta verde e começo a escrever sobre meu futuro. Escrevo sobre como quero que o próximo ano seja, como quero que o resto deste ano seja, começando por hoje, sobre o tipo de garoto com quem quero estar (se bem que eu acho que não vou querer ficar com ninguém por um bom tempo). De qualquer forma, estar com um garoto não é o mais importante. O mais importante é que estou descobrindo quem eu sou. Quando conseguir me aceitar, em vez de ficar lutando contra isso, então estarei pronta para um relacionamento de verdade.

Depois de arrumar cuidadosamente todos os novos bilhetes na caixa de desejos, me concentro na própria caixa. Decorar a parte externa da caixa de desejos é crucial. A maioria das imagens que colei nela é de Scott e de Nova York. Mantenho as de Nova York e tiro as de Scott. Rasgo todas e as jogo fora. Então, procuro na internet imagens de espaços verdes, do High Line, das luzes da cidade, de contornos de edifícios ou montanhas, de topos de edifícios, de caixas-d'água elevadas... tudo o que tem significado para mim. Meu coração dói enquanto faço isso, mas a distração o ajuda a doer um pouco menos.

Quando o telefone toca, checo a hora. Fico pasma: estou trabalhando na minha caixa de desejos há mais de três horas!

— Olá?

— Eu o encontrei — diz Sadie.

— Quem?

— Quem você acha? Carlos!

— Onde?

— Sabe aquele evento que eu fui?

— Sei.

— Ele estava lá.

— Cara!

— Eu sei. Pena que tenha ficado completamente atordoada com isso.

— Sem dúvida. Provavelmente ele já esteja apaixonado por você.

— Não depois do que eu fiz. Eu o vi parado perto da mesa de comes e bebes e... OK, a princípio, não conseguia acreditar que era ele mesmo. Então fui até ele e disse: "Carlos?". E ele: "De onde conheço você?". Aí eu disse que, às vezes, vou ao Rite Aid e ele falou: "Conheço você". Então perguntei — eu não poderia estar mais envergonhada — perguntei se estava trabalhando no evento. Achei que ele estava com o serviço de *buffet* ou algo assim.

— Oooh...

— E ele respondeu: "Ah, não! Eu me candidatei a esta faculdade". Você acredita? Pode ser que estudemos na mesma faculdade! Não que haja algum problema, mas eu poderia ter sido mais ofensiva?

— Você não sabia. Tenho certeza de que não significou nada.

— Ah, foi mal sim. Fiquei o tempo inteiro me desculpando pelo meu jeito bobo. Fiquei tão doida com isso que ele nem pediu meu telefone.

— Droga.

— A única coisa boa foi que eu pedi o dele. E ele me deu!

— Ótimo! Viu? Eu disse que ele não ia se importar. Quando você vai ligar?

— Quanto tempo devo esperar?

— Sem fazer jogo. Você deve ligar para ele quando quiser.

— Ah, então, tipo a cada segundo?

— Onde está a sua autoconfiança com relação aos garotos?

— Só porque consegui um grão de autoconfiança para pedir o telefone dele não significa que isso veio com manual. Essas coisas são delicadas. Se eu ligar para ele imediatamente, pode ser que o espante, mas se esperar muito tempo, ele poderia sair com outra pessoa. Então, qual é o tempo de espera perfeito?

— Você está perguntando à pessoa errada.

Evidentemente, não sei nada sobre garotos. Sou a última pessoa para quem alguém deveria pedir conselhos sobre eles.

Já conselhos sobre a vida... Pela primeira vez, acho que tenho alguns para oferecer.

# 26

**As noites de domingo** sempre vêm com uma sensação de angústia, de ruína iminente. É por isso que as segundas-feiras são intrinsecamente chatas. Todo mundo fica esgotado e irritadiço, só esperando chegar sexta-feira novamente. Como se as segundas-feiras já não fossem suficientemente ruins, é claro que trabalhamos em duplas hoje na Caixa. Pena que a aula que costumava ser a melhor de todas seja agora a pior. Só precisou de uma pessoa para estragar tudo. Por causa de Scott, tudo na escola está uma droga, mais do que já era, o que torna muito difícil manter minha nova atitude academicamente motivada.

É um absurdo como antes eu fazia qualquer coisa para estar com Scott e hoje detesto estar aqui com ele. Enquanto isso, Scott parece bem.

Por baixo de todo o esforço que faço para dar uma virada na vida, me sinto um caos. Só se passaram seis dias desde que terminamos. Tento preencher o vazio com novas prioridades, novos planos, novos objetivos e estou realmente empolgada com o futuro, porém, meu coração ainda dói. É uma dor constante que tira a energia para fazer todas as outras coisas. Não consigo me imaginar me sentindo normal novamente.

— E aí... — Scott dá uma olhada na folha do projeto que temos de fazer. — O que você acha?

O que eu penso é o seguinte:

"Acho que me mudar para cá por sua causa foi a coisa certa a fazer.

Acho que você terminou comigo porque tem medo de ter alguma coisa verdadeira.

Acho isso irritante".

— Acho que você vai voltar a namorar Leslie — digo.

Não sei de onde saiu isso. Fiquei pensando se um dos motivos para Scott ter terminado comigo não foi porque ele poderia voltar a ficar com a Leslie. Faria sentido. Leslie é divertida, eu sou séria. Leslie é simples, eu venho com bagagem. Leslie não é tão estressada com relação ao rumo das coisas, simplesmente fica feliz que as coisas estejam indo para algum lugar.

— Ah, não! — diz Scott. — Não vou.

— Não vai?

— Por que você acha isso?

— Não sei. Porque você estava dizendo que queria que as coisas continuassem casuais. Ela parece... descomplicada.

— Ela é. É por isso que não estou interessado.

— Pensei que você quisesse uma descomplicada.

— Eu queria você.

— Então por que...?

— Foi você que não me quis.

— Claro que eu queria você!

De repente, os outros alunos sentados perto de nós param de conversar. Finjo que estou concentrada na folha do meu projeto. Quando eles recomeçam a conversar, eu pergunto:

— Por que está distorcendo tudo?

— Era você que estava infeliz com a maneira como as coisas estavam. Você queria um compromisso sério e tudo.

— Você não acha que Leslie queira isso? Todas as garotas querem!

— Você tem ideia do quanto a Leslie se sente ameaçada por você?

— Muito engraçado.

— Ela se sente mesmo. Ela percebia que eu gostava de você mais do que eu admitia. Ou mais do que sabia. É como se ela soubesse o que ia acontecer entre nós muito antes de mim.

— Ah.

— É por isso que ela sempre mencionava você em conversas aleatórias, como se estivesse tentando testar minha reação ao ouvir seu nome.

— Como você sabe tudo isso?

— Ela me escreveu o e-mail mais longo do mundo logo que comecei a ficar com você. Não sei por que o enviou. Ela sabia que eu tinha escolhido você.

— Ela estava tentando recuperar você.

— Bem, era tarde demais.

Será que Scott está tentando dizer que também está tarde demais para nós? Porque ele está falando de um jeito, como se a culpa pelo término fosse mais minha do que dele. O que é ridículo. Só que... Será que eu ia querer voltar com ele? Há uma semana, teria dito "claro que sim". Agora, não tenho tanta certeza.

Tenho pensado em tudo e acho que não gostava da pessoa que eu era com Scott. Quero dizer, ser sua namorada foi incrível, mas ficava insegura perto dele. Nunca tinha ficado insegura perto dos garotos antes. Todas as vezes que o telefone tocava, sentia uma forte adrenalina porque poderia ser Scott, mas também havia uma pontada de medo. Medo de que estivesse me ligando para dizer que não pertencíamos um ao outro. Nunca o senti completamente meu. Eu não podia contar com ele do jeito que posso contar com John.

John luta por mim, aconteça o que acontecer. Ele continua tentando derrubar as minhas paredes, nunca desiste de quem sou ou de quem eu poderia ser, não foge quando as coisas ficam complicadas. Mesmo quando John estava bravo comigo, não deixou que isso o impedisse de se importar comigo.

Sabe de uma coisa? Eu poderia passar o resto da vida perseguindo aquela sensação incrível que eu tinha, bastava pensar em Scott. Atração física forte assim é viciante. E saber que esse tipo de mágica não é apenas uma fantasia me faz querer encontrá-la novamente. Mas que tal estar com alguém que me faça ser uma pessoa melhor? Que tal compartilhar minha vida com alguém que me adore tanto quanto eu o adoro, com quem possa contar sempre, que me ajude a encontrar o caminho quando estiver perdida?

Se eu pudesse encontrar tanto atração física intensa quanto forte apoio emocional em um garoto, seria perfeito. Mas se tiver que ser uma coisa ou outra? A escolha é óbvia.

Quando minha mãe liga, geralmente tento encurtar a conversa. Acho que quanto menos tempo ela tiver para me insultar, melhor.

Desta vez é diferente.

Acabei de lhe contar sobre a reunião com a consultora de faculdade e a visita à NYU, e que eu quero ser uma planejadora urbana.

— Que maravilha! — diz mamãe. — Parece que você tem muitas novidades.

— Eu tenho.

— Estou aliviada que você esteja descobrindo as coisas.

— É. Afinal, talvez eu não seja uma perdedora.

— Quem disse que você era uma perdedora?

— Você. Ou melhor, você insinuou. Sempre dizia que não estava me esforçando o suficiente. Parecia que tinha desistido de mim.

— Eu dizia essas coisas porque queria mais para você, Brooke.

Ela parece magoada. Agora estou me sentindo mal.

— Não, você estava certa. Eu não estava me esforçando o suficiente e agora isso mudou. Mas por que você tem que ser tão crítica o tempo todo? Por que você não pode me apoiar mais? Você diz que está tentando me ajudar, mas isso só faz com que me sinta pior!

Mamãe não diz nada por um bom tempo.

— Mamãe?

— Lamento ser tão dura com você — diz ela, com a voz falhando no *você*. — Só quero que você seja bem-sucedida.

— Você pode parar de se preocupar. As coisas estão dando certo agora.

Silêncio desconfortável.

— Bem — diz ela —, você acha que virá para casa na pausa do inverno?

— Não tenho certeza.

— E na da primavera?

— Talvez eu fique aqui nas duas. Preciso muito resolver tudo.

— Ah. Bem, se não vier para casa, eu a verei na formatura. Mas seria legal vê-la algum dia nos próximos cinco meses.

Entendo que isso seja difícil para ela, mas ter voltado para lá no intervalo do Natal foi insuportável. Parecia que eu estava dando um passo para trás, quando tudo que queria fazer era continuar caminhando para frente. Nova York é minha casa agora. "O Saber" me diz que farei faculdade aqui. Não terei de sair daqui a menos que eu queira, e não consigo me imaginar desejando isso um dia.

— Você pode me visitar — sugiro.

— Está sendo um grande ano para você. Eu não queria ter perdido isso.

— Você não perdeu, mamãe! Eu contei tudo para você.

Tudo, exceto o que aconteceu com Scott. Não ia contar nada para ela, mas precisei contar porque papai sabia. Existia a possibilidade de que ele contasse para mamãe. Então, disse a ela que Scott era um garoto que conheci aqui. Scott concordou em dizer a mesma coisa ao meu pai se o assunto surgisse algum dia. Por sorte, papai simplesmente presumiu que ele fosse de Nova York.

— Você ainda está se dando bem com seu pai?

— Quase sempre, mas sinto muita falta da sua comida.

Mamãe dá risada.

— Nunca pensei que a ouviria dizer isso.

— Ah, estou dizendo.

— Até do meu bolo de carne?

— Especialmente do seu bolo de carne.

Mais silêncio desconfortável.

— Bem — digo —, preciso desligar.

— Ligue se precisar de mim.

Dá para perceber que ela está triste por estarmos separadas. No entanto, de certa forma, a distância está nos ajudando. Às vezes você só precisa de espaço para valorizar o que tem.

# 27

**Eu achei que seria** complicado dar aula de monitoria para John a partir de agora, mas parece a mesma coisa de sempre. Pelo menos para mim.

John não está mais bravo comigo. Na noite em que dormi na casa dele, ele sentiu muita pena de mim. Meu pai e eu não falamos mais do que três palavras um para o outro desde a nossa briga, e isso foi há uma semana.

John está fazendo um curso preparatório para o SAT. Já fez o curso no ano passado, mas sua mãe quer que ele faça os SATs novamente para tentar alcançar uma nota maior. Tenho de ajudá-lo a fazer simulados até o dia da prova, em março. Estamos trabalhando com esta dissertação na seção de escrita há uma eternidade. Querem saber se as recordações ajudam ou atrapalham o sucesso.

— Qual é a figura geométrica que é... — John tenta se lembrar — aquela que tem os lados que são todos... um romboide.

— Como um paralelogramo?

— Só que os lados não são paralelos.

— Você quer dizer um losango?

— Não, aquela coisa com...

— Um trapezoide?

— Isso! — John bate na mesa com força. — Isso!

— Vocês dois podem falar mais baixo aí? — brinca Sadie da outra mesa. — Tem gente tentando aprender aqui.

— Romboide. — John informa Sadie e faz sinal de positivo com o polegar para ela. Depois escreve tudo aquilo que ele tentava dizer sobre recordações.

Enquanto termina a dissertação, vou fazer uma pergunta ao senhor Peterson. Só que não é uma pergunta de verdade, é apenas uma desculpa para enfiar uma coisa em sua bolsa. Quando ele vira de costas para pegar um livro da estante, deixo cair uma cópia do meu boletim escolar dentro da sua bolsa de mensageiro aberta. Tem um *warm fuzzy* colado nele, agradecendo por ter me pressionado para ser melhor. De todos os professores e outros profissionais da escola que me pressionaram, durante todos esses anos, para que eu melhorasse, o senhor Peterson foi o único que realmente me deu um motivo verdadeiro para fazê-lo.

Após a monitoria, saio com John e Sadie, como sempre, mas, em vez de Sadie e eu caminharmos juntas para casa, John espera até que ela vá embora. Aí ele pergunta:

— Posso ir a seu apartamento?

— Para quê?

— Nossa, não sabia que precisava de um convite com meu nome gravado.

— Não, é claro que pode ir! É que você nunca foi lá antes.

— Exatamente. Você já foi duas vezes ao meu. Não acha que eu tenho de me nivelar?

Então, John vem a minha casa. Como sempre, papai ainda está no trabalho.

— É tão tranquilo aqui! — comenta John. — É sempre assim?

— Quase sempre. Meu pai trabalha até tarde.

— Que coisa boa! Eu nunca fico com o lugar só para mim. Mesmo que sejamos só eu, minha mãe e Hailey, parece que existem oito pessoas lá. Deve ser alguma coisa relacionada a garotas. Com garotas por perto, sempre parece que há mais gente. OK, por que estou falando isso? Aquele preparatório para o SAT fritou meu cérebro.

Vamos ao meu quarto. Se soubesse que John viria... Está um desastre aqui dentro.

— Você tem o grampeador do *Office Space*! — grita John.

— Tenho?

Ele vai até minha escrivaninha e o pega.

— Eu não sabia que você tinha isso!

— Nem eu. Só sabia que era um grampeador.

— Este não é um velho grampeador qualquer. É vermelho, uma edição especial da empresa Swingline. Lembra-se daquele pôster que eu tenho, do grampeador vermelho soltando fumaça?

— Ah, sim. Eu gosto dele.

— Onde você conseguiu este?

— Foi a *designer* de interiores do meu pai que escolheu.

John está obcecado pelo grampeador.

— Por que você não compra um? — pergunto.

— Ah, vou comprar. Nunca me ocorreu, bem, simplesmente comprar um. Este é tão legal!

Coloco uma música. John se esparrama na minha cama e eu fico com o almofadão.

— Escute — diz ele —, sabe aquela coisa que lhe disse quando você dormiu no meu apartamento?

— Você quer dizer sobre...

— É, aquilo. Esqueça tudo. Apague aquilo do seu grande cérebro.

— Sadie é a única que tem permissão para dizer que meu cérebro é grande.

— Não, ela me deu privilégios. Enfim, quero que você finja que nunca ouviu aquilo.

— Ouviu o quê?

— Você sabe sobre o que estou falando?

— Sim, eu quis dizer... esqueça isso!

— Ah! Assim... OK. Viu? Eu disse a você que meu cérebro estava fervendo. Minha capacidade de comunicação está ainda mais territroz do que de costume.

— Territroz?

— É uma combinação de "terrível" com "atroz". — John olha minha coleção de gravuras com contornos de edifícios, na parede.

— Eu deveria levantar e examinar suas coisas, já que é a primeira vez que venho ao seu quarto. Tragicamente, estou preguiçoso demais para fazer isso.

— Que legal! Me sinto bem cansada também.

— Como estão as coisas?

— Você quer dizer... a coisa toda do término do namoro?

— É.

— Não muito bem. Estou me distraindo com os planos para a faculdade.

— Sadie me contou. É muito legal que esteja levando sua vida mais a sério.

John me faz sorrir. Ele diz umas coisas que, vindas de qualquer outra pessoa, soariam ridículas. Mas, com John, é realmente como ele se sente.

— Você me ajudou muito — digo a ele.

— Como?

— Você me ajudou a entender que eu quero ser uma planejadora urbana. Todas aquelas vezes no High Line e os passeios com você foram assim... Me fizeram perceber que, se nós dois nos sentimos assim a respeito de Nova York, muitas outras pessoas devem se sentir da mesma forma. E que eu posso, na verdade, dedicar a minha vida a melhorar a forma como as pessoas se relacionam com a cidade.

John se vira na minha cama de forma que seu queixo fique apoiado do lado do meu colchão e as pernas fiquem balançando do outro lado.

— Eu ajudei? — diz ele.

— Totalmente. Você estava me ajudando o tempo todo apenas sendo você mesmo. Sou muito grata por tudo que fez.

— Uau! Eu nem sabia que estava fazendo alguma coisa.

— Bem, estava.

— Isso é profundo.

Ele está certo. É profundo.

John fica olhando para mim. Olho para ele também. É como se um entendesse o outro sem ter que dizer nada.

— Posso te perguntar uma coisa? — diz ele. — Como minha monitora?

— Qualquer coisa.

— Você acha que a faculdade será um grande fracasso para mim?

— Claro que não.

— Você pode ser sincera.

— Eu *estou* sendo sincera. Você vai adorar. Aquela que não dá notas parece perfeita para você. Eles não dão prioridade à criatividade e à diversidade lá?

— É, mas e se eu não entrar?

— E se você entrar?

— E se eu entrar, mas não for bom o suficiente?

Eu não tinha a menor ideia de que John estivesse preocupado com a faculdade. Ele parece sempre tão seguro! Fico um pouco preocupada pensando em como vai se ajustar academicamente, mas não estou nem um pouco preocupada com ele socialmente. Se alguém vai tirar proveito de tudo que a vida na faculdade tem a oferecer, é o John.

— Você é melhor que "bom o suficiente" — respondo. — Você é excepcional.

— Desculpe, mas viu minha transcrição?

— E daí? Nenhuma nota jamais conseguiria quantificar o quanto você é inteligente.

— É uma pena que as faculdades não pensem dessa forma.

— Se elas não o aceitarem, a perda é delas.

— Você realmente acredita nisso?

— Totalmente.

É tão esquisito como todo este tempo achei que John tivesse algum segredo do sucesso que não compartilhasse com ninguém. Ele nunca baixou a guarda antes, e eu nem sequer sabia que ele tinha uma. Achei que eu era a única com armadura. É surpreendente que ele também tenha inseguranças e dúvidas escondidas, mas também é reconfortante. Isso me faz sentir menos sozinha.

Quando ouço a porta da frente se abrir, não consigo acreditar que John está aqui há tanto tempo que papai até já chegou. Ficamos conversando durante todo esse tempo, mas não parece que esteja aqui há mais de uma hora. O relógio diz que ele está aqui há mais de três.

Papai deve ter visto o casaco e a bolsa de John perto da porta porque ele vem direto ao meu quarto. Ele nunca faz isso. Geralmente vem para casa, coloca alguma comida para viagem sobre o balcão da cozinha e se dirige ao *laptop*, na sala de estar. Mas aqui está ele, parado na minha porta, olhando fixamente para John esparramado na minha cama.

— Ei, senhor Greene! — John se levanta rapidamente e vai até meu pai. — Que bom finalmente conhecê-lo, senhor. Sou John Dalton, do High Line Daltons. — John estende a mão para cumprimentar papai. — Desculpe! Brincadeira. Cérebro territroz fervendo.

Papai olha para John. Eles dão um aperto de mão.

— Você precisa saber que Brooke é a melhor monitora que eu já tive. Sério, a garota mudou minha vida! Eu estaria em apuros sem ela.

— Pare — digo.

É tão constrangedor!

Então, nós ficamos parados ali, esperando alguém dizer alguma coisa.

Por fim, papai diz:

— Brooke, preciso falar com você.

Isso mina uma parte da autoconfiança de John.

— Ah, devo... posso ir embora. É, vou embora.

Acompanho John à porta da frente. Enquanto ele está vestindo o casaco, sussurra:

— Ligue para mim se precisar de alguma coisa.

— Ligo.

— Você pode ficar no meu apartamento novamente se precisar. Sabe disso, né?

— Sei.

De volta ao meu quarto, papai está sentado à minha escrivaninha. Endireito o edredom e sento na cama. Não sei por que estou tão nervosa.

— Me ocorreu que você necessita de mais estrutura — diz ele.

— Que quer dizer?

— Quero dizer que você não pode ficar andando por aí assim. Eu estava tentando lhe dar um pouco de espaço. Sei como é viver com sua mãe e queria que tivesse mais liberdade aqui, mas você está ficando fora de casa até tarde... Eu nem sabia aonde você tinha ido naquela noite que não veio para casa...

— Não achei que se importaria.

— Claro que me importei. Foi por isso que fiquei ligando para você. Você não estaria aqui se eu não me importasse. Pensei que, com você morando aqui, eu estaria mais na sua vida.

— As coisas não podem mudar de repente só porque quer que elas mudem, papai. Você tem de fazer alguma coisa para que elas mudem.

— Eu sei. É o que estou fazendo.

Papai tira uma das minhas canetas Gelly Roll do pote de vidro. Ele bate com a caneta no meu livro de cálculo.

— Proibido garotos no seu quarto. Eu já tive essa idade e sei como eles pensam. Eles não deveriam estar aqui dentro.

— Tudo bem.

— Proibido ficar fora a noite toda. Você tem de pedir permissão se quiser dormir na casa de alguma amiga. E não quero que fique fora até tão tarde quando tiver aula. Você precisa estar em casa até... vamos dizer, nove e meia. Não, nove horas.

— OK.

Papai parece tão triste quanto a mamãe estava ao telefone da última vez que falei com ela.

— Lamento não ser mais presente — diz ele. — Meu plano era chegar em casa mais cedo e jantar com você todas as noites. Sei que não é justo ficar aqui sozinha, mas não sei se as coisas vão mudar. Provavelmente não. Você ficará bem assim?

— Terei de ficar.

Papai suspira.

— Acho que sou uma porcaria nisso, hein?

— Você não é tão ruim. Quero dizer... sempre pode ser melhor.

Ele ri.

— Você está certa sobre isso.

Depois da noite que saí enfurecida, fiquei com medo que papai me mandasse de volta para New Jersey. Aquela semana que ele não falou comigo foi a pior. Mas parece que ele também estava com medo. Com medo do que ele poderia ouvir se pedisse para eu falar a verdade. Talvez até com medo que eu não quisesse mais morar com ele! Porque, se tudo o que me disse for verdade, então ele realmente quer que eu fique aqui. Só não está pronto para rever sua vida e mudá-la por mim, como fiz por Scott. E mais, ele fez toda a coisa de trás para frente. Não ajuda ter sido tão ignorante, mas também não é a pior coisa que ele poderia ter feito.

— Por falar nisso — diz papai —, se você fizer faculdade em Nova York, seu quarto estará sempre aqui. Você é bem-vinda a qualquer hora.

— Você quer dizer que não vai transformá-lo em um escritório novamente?

— Eu tenho escritórios suficientes no trabalho. De qualquer forma, você sabe que prefiro trabalhar na sala de estar.

— Verdade. Hum... podemos, talvez, correr aos domingos, como tínhamos combinado?

— Com certeza. Devemos esperar até esquentar um pouco?

— Claro.

Não sei se um dia correremos toda semana, mas tudo bem. Aconteça o que acontecer, sei que, exatamente neste momento, papai está falando sério e está tentando melhorar.

— Você já comeu? — pergunta.

— Não, estou morrendo de fome.

— Que tal pizza?

— Com uma quantidade extra de queijo e alho?

— Boa ideia! Vou ligar.

É legal jantarmos juntos hoje, mas não me iludo. Sei que amanhã as coisas provavelmente voltarão a ser do jeito que eram. É muito cedo para quaisquer grandes mudanças acontecerem, se é que acontecerão algum dia, mas a possibilidade de mudança me deixa feliz. Me dá esperança novamente.

# 28

**O jardim zen ficou tão deserto** durante o inverno! Só vim aqui algumas vezes, bem agasalhada, e fiquei observando as luzes da cidade brilharem na noite fria. Não vejo Ree há algum tempo. Gostaria de saber como ela está, se ainda vem aqui desenhar a lua.

Adoro estar de volta ao jardim agora que está mais quente. Não vejo a hora de os girassóis crescerem novamente. E estou empolgada com este passeio que estamos prestes a fazer. Só estou aguardando todos chegarem aqui.

Procuro John e o vejo atravessando a rua. Consigo reconhecê-lo de longe. Gosto de observá-lo quando ele não sabe que está sendo observado. Toda vez que planejamos fazer alguma coisa, fico com esta sensação de felicidade pela expectativa. Adoro passar um tempo com John! Ele foi a primeira pessoa com quem me senti totalmente confortável. Quando estou com ele, não preciso pensar em como devo agir. É um grande alívio simplesmente relaxar e ser eu mesma, especialmente porque começo a entender quem sou. Ele me faz sentir como se qualquer coisa que fizesse jamais faria com que ele gostasse um pouco menos de mim. E esta é uma sensação incrível!

Quando John finalmente me vê, pergunta:

— Quer dar uma volta?

— Eu não perderia por nada nosso passeio durante o equinócio da primavera!

— E a resolução de equinócio da primavera. É meio parecida com a resolução de equinócio do outono, só que melhor.

— Você sabe qual é sua resolução?

— Você sabe qual é.

Ele olha para mim com olhos profundos.

Sinto minhas bochechas esquentarem. Não costumava me incomodar quando John dizia coisas desse tipo quando ainda não sabia que ele gostava de mim, mas isso não é suficiente para que eu deixe de ser sua amiga ou algo assim. Somos melhores amigos, mais do que nunca. É só... o jeito que ele olha para mim. É profundo, só isso.

Sadie tem a seguinte teoria: quando estava apaixonada por Scott, não conseguia processar o comportamento de nenhum outro garoto de forma precisa. Era como se eu estivesse interpretando todos os outros garotos através de algum tipo de filtro. Agora esse filtro está desligado e tudo está muito mais claro.

— Feliz primavera! — grita Sadie da pista.

Levantamos da nossa pedra e fomos ao seu encontro, pisando em outras pedras grandes no caminho.

— Dá para acreditar nesse tempo? — comento.

— É mesmo — diz ela. — É como se a primavera soubesse que viríamos festejá-la.

— A primavera sabia sim — diz Carlos.

O jeito que ele concorda com Sadie é tão bonitinho! Ele está completamente apaixonado.

Eu não poderia ter ficado mais orgulhosa de Sadie quando ela ligou para o Carlos. Ela ficou insegura depois que ele lhe deu o número de seu telefone. Ela estava convencida de que Carlos a achava completamente doida e só tinha lhe dado o número para ser legal, por isso, depois de ficar obcecada durante vários dias se devia ou não ligar para ele, decidiu que não ia ligar. Então, ela lembrou que tinha prometido a si mesma que não teria mais nenhum arrependimento. É óbvio que Carlos ficou feliz com sua decisão.

Começamos a caminhar para o centro e, no crepúsculo, mais luzes da cidade começam a piscar. Este é o melhor horário para um passeio a pé, com tudo o que a noite pode oferecer à espera de ser descoberto.

Tiro da minha bolsa um pedaço de papel dobrado em formato de trapezoide. Coloco-o dentro do bolso traseiro de John.

— O que é isso? — pergunta ele.

— É uma coisa.

— O que é?

— Um bilhete. Mais especificamente, um *warm fuzzy*.

— Você está apaixonada por eles! — diz Sadie, empolgada, e olha radiante para Carlos. — Eu transformei a Brooke de uma pessoa arredia e cínica em alguém que escreve *warm fuzzies*.

— Ei — diz John —, você não pode ganhar todos os créditos! Verifique os registros e vai ver que outras pessoas estão envolvidas nessa transformação.

— Desculpe, John, você também foi muito bom nisso!

— Parece que sou um projeto para conseguir créditos extras — digo. — Não dê ouvidos a eles, Carlos. Eu não era arredia.

Carlos sorri. Ele só está com Sadie há dois meses, mas já é tempo mais que suficiente para saber como ela é generosa.

— É o *warm fuzzy* que você me prometeu? — pergunta John.

— O próprio. Você deve ler mais tarde.

Estamos passando por um prédio imenso, com *lofts* enormes. As luzes estão acesas na cobertura, que tem uma parede de vidro espetacular. Inclino a minha cabeça bem para trás e olho para cima. Dá para ver todo o interior. Seria tão legal ter uma casa como esta um dia!

Ultimamente, tenho olhado muito mais para cima. Para mim, parece esperança. Agora sei que as chances de felicidade são infinitas, qualquer coisa pode acontecer. E há pessoas que vão me apoiar, embora eu ainda seja uma obra em andamento.

John olha fixamente para mim. Percebo seu olhar pela lateral do meu rosto.

— O quê? — digo.

— Adoro observá-la quando você gosta de alguma coisa que vê!

— Você tem de parar de dizer coisas assim.

— Por quê?

— Porque sei que você gosta de mim.

— E aí? Isso significa que não posso mais ser sincero?

— Isso não é nem um pouco constrangedor — diz Sadie a Carlos.

— Desculpe, pessoal! Eu fico explicando a John que amigos não dizem coisas assim um para o outro.

— Não, mas um amigo que ama a amiga diz.

Pausa. John disse que me ama?

Sadie e John trocam olhares. Ninguém sabe como vou reagir. Inclusive eu.

— Tudo bem se você não se sente da mesma forma — diz John. — Eu entendo. Só queria que você soubesse.

Uma das coisas mais incríveis que pode acontecer é encontrar alguém que enxergue tudo que você é e não a deixe ser nada menos. Essa pessoa vê seu potencial, percebe as infinitas possibilidades e, através dos olhos dela, você começa a se enxergar da mesma forma: como alguém importante, alguém que pode fazer a diferença neste mundo.

Se você tiver muita sorte de encontrar essa pessoa, nunca a deixe ir embora!

Eu seguro a mão de John. Desta vez, não a soltarei.

# AGRADECIMENTOS

***Warm fuzzies*** **com brilho extra** vão para:

Kendra Levin & Regina Hayes: no mundo dos editores, vocês têm o dom do "Saber".

Minha família Penguin: pessoas que fazem tudo acontecer.

Jim Hoover & Marc Tauss: por terem tornado realidade a capa dos meus sonhos.

David Letterman: que desencadeou minha paixão pela cidade de Nova York.

Gillian Mackenzie & Kirsten Wolf: vocês fazem tudo permanecer funcionando.

Laurie Halse Anderson, Sarah Dessen e Meg Cabot: com quem aprendi tanto.

Dr. Pat Sharkey, do Departamento de Sociologia da NYU: pelos esclarecimentos sobre os efeitos da vizinhança.

Paul Simon: no passado, você foi a trilha sonora do meu futuro.

Jim Downs: um sujeito amante da Energia, um sujeito que ganhou a corrida.

Joe Torello: que sabe tudo sobre correr atrás dos sonhos.

Pierre: que entende sobre o parque High Line. E quase tudo o mais.

E especialmente aos meus leitores: seu entusiasmo e apoio me ajudam a sempre sonhar alto.